la cuisine
méditerranéenne

soline
éditions

Édition originale :
© 2000, 2001 Octopus Publishing Group Limited, Londres,
Grande-Bretagne

Édition : Cara Frost
Correction : Anne Crane
Index : Pamela Le Gassick
Maquette : Claire Harvey
Photographies : Ian Wallace
Styliste culinaire : Louise Pickford
Conception : Antonia Gaunt
Fabrication : Lisa Moore

Édition française :
© 2002 Éditions Soline, Courbevoie, France

Adaptation française : Marie-Line Hillairet,
avec le concours de Nicolas Blot
Coordination éditoriale : Philippe Brunet
Réalisation : PHB Services d'édition

ISBN : 2-87677-447-X
Dépôt légal : janvier 2002

Imprimé en Chine

Notes :
1 cuillerée à soupe = une cuillère de 15 ml
1 cuillerée à café = une cuillère de 5 ml

Sauf indication contraire, utilisez des œufs de gros calibre.

Sauf indication contraire, utilisez du lait entier.

Utilisez du poivre gris du moulin.

Sauf indication contraire, utilisez des herbes aromatiques fraîches.
Si vous n'en trouvez pas, remplacez-les par des herbes séchées,
mais réduisez les quantités de moitié.

Fruits secs oléagineux et produits dérivés
Ce livre propose des plats comprenant des fruits secs oléagineux
(arachides, noix, noisettes, amandes…) et des produits dérivés.
Il est préférable que les personnes allergiques à ces aliments
et celles susceptibles de développer ce type d'allergie, comme
les femmes enceintes et celles qui allaitent, les infirmes, les personnes âgées et les nourrissons, évitent de consommer des plats
à base de fruits secs oléagineux. Il est également indispensable
de vérifier les étiquettes des ingrédients tout prêts afin de vous
assurer qu'ils ne renferment pas de substances oléagineuses.

Il est conseillé de préchauffer les fours à la température indiquée.
Si vous utilisez un four à chaleur tournante, suivez les recomman-
dations du fabricant pour adapter le temps et la température
de cuisson.

Louise Pickford

photographies de Ian Wallace

la cuisine

méditerranéenne

sommaire

introduction

La cuisine méditerranéenne regorge de fraîcheur, de couleur et de vitalité – des mots également idoines pour décrire le caractère des gens qui vivent autour de la Méditerranée. Au fil des siècles, ce sont les habitants et leurs modes de vie qui ont contribué à déterminer la manière de cultiver, de récolter et de cuisiner les aliments. Tous les pays méditerranéens partagent un riche passé fait de colonisation, de commerce et d'invasions – la succession des époques tourmentées y a laissé une profonde empreinte sur la vie quotidienne.

L'olivier symbolise la frontière entre la Méditerranée d'une part, le reste de l'Europe et de l'Afrique du Nord d'autre part. D'un point de vue géographique, les pays qui se partagent les rivages de la Grande Bleue sont l'Espagne à l'ouest, le Maroc, l'Algérie, la Tunisie, la Libye et l'Égypte au sud, Israël, le Liban, la Syrie et la Turquie à l'est et, pour finir, la Grèce, l'Italie et le sud de la France au nord, sans oublier les nombreuses îles qui ponctuent çà et là cette immense étendue d'eau.

Peut-être sommes-nous maintenant habitués à l'ambiance grisante qui règne en région méditerranéenne, mais n'oublions pas que la paix fragile d'aujourd'hui est un acquis récent. En effet, l'histoire des pays méridionaux est tissée de périodes de guerres et d'occupation. À l'heure actuelle, les différentes cultures et religions cohabitent dans une relative harmonie, partagent le même climat, les mêmes paysages et le même littoral. Toutes ces contrées, qui nourrissent une passion commune pour la mer, les herbes aromatiques, les épices et les légumes, se sont forgé une gastronomie personnelle et authentique.

La mer elle-même a probablement été le facteur de développement le plus déterminant de cette région. Depuis des temps immémoriaux, les peuples n'ont cessé de franchir la Méditerranée pour commercer et établir des colonies ; ils ont emmené dans leurs bagages leurs religions, leurs cultures et leurs traditions culinaires.

Cette histoire mouvementée a commencé plusieurs siècles avant notre ère avec les Phéniciens de la Méditerranée orientale, qui furent, dit-on, les premiers à s'aventurer loin des côtes. Ils ont construit des ports et édifié des comptoirs sur les rivages méditerranéens, et introduit en Europe occidentale de nombreuses denrées, dont la grenade. Au VIe siècle av. J.-C., les Étrusques cultivaient la vigne dans la province aujourd'hui appelée Toscane, et un siècle plus tard les Grecs, un peuple à forte tradition colonisatrice venu du Nord, ont poursuivi la culture de la vigne et lancé celle de l'olivier. L'Empire romain, qui a entamé son expansion vers le IIe siècle apr. J.-C., a laissé un héritage encore visible à notre époque. Les Romains ont planté des peupliers, des ormes et des oliviers. Leurs méthodes de cuisine ont également eu un impact durable, avec l'usage des fours extérieurs et l'introduction des sauces.

La grande période suivante a été le VIIe siècle, marqué par l'expansion de l'Empire byzantin à partir de sa capitale, Constantinople. Son peuple de commerçants a pris grand plaisir à partager le vin et les aliments qui sont les fondements de la cuisine méditerranéenne actuelle.

Après de multiples assauts, l'Empire byzantin a finalement été renversé en 1453 par les Turcs, qui ont créé le puissant Empire ottoman. La Turquie est longtemps restée un comptoir important entre l'Extrême-Orient et l'Occident, par lequel transitaient les denrées exotiques provenant de Mongolie, de Chine ou du monde arabe.

Jusqu'à cette époque, les influences venaient en majorité d'Orient. Puis, au XVe siècle, les Espagnols, menés par l'Italien Christophe Colomb, découvrirent l'Amérique et en rapportèrent de nouveaux produits comme les tomates, les poivrons, le maïs, le potiron, le chocolat, la vanille, et bien sûr la pomme de terre.

À mesure que les Espagnols continuaient leurs périples vers l'Occident et le Nouveau Monde, la tradition culinaire se trouva transformée, puis, après la chute de l'Empire ottoman, la France, l'Espagne et l'Italie colonisèrent à leur tour des pays d'Afrique du Nord et du Moyen-Orient. Ainsi, pendant près de 2 500 ans, les pays méditerranéens ont fait du commerce et établi des colonies, conquis et reconquis les pays voisins, assimilant et adaptant leurs coutumes et leurs cultures. Aujourd'hui, il est étonnant de constater que chaque pays méditerranéen a conservé ses particularités ; en effet, malgré quelques ressemblances, les plats diffèrent non seulement d'un pays à l'autre, mais aussi d'une région à l'autre. Cette extraordinaire diversité fait de la cuisine méditerranéenne une cuisine vibrante, passionnante et pleine de charme.

La terre

Les pays méditerranéens partagent un même climat, qui se distingue par des étés secs et des hivers doux ponctués de tempêtes aussi violentes que soudaines. Mais l'agriculture d'un pays est autant déterminée par son relief que par son climat. Cet environnement, idéal à nos yeux, rend difficile la vie de ceux qui cultivent la terre et s'échinent à produire suffisamment de nourriture pour survivre durant les mois d'hiver.

Le paysage est composé de terres arides et de montagnes accidentées uniquement accessibles aux moutons et aux chèvres qui fournissent aussi bien la viande que le lait et le fromage. On trouve du bœuf dans certaines régions d'Italie, d'Espagne et du sud de la France, et parfois en Grèce et en Turquie, mais c'est une viande rare dans les autres pays. Chaque famille élève des poulets et le gibier est apprécié de tous.

Le blé et le maïs, cultivés dans les plaines, constituent la nourriture de base ; le riz pousse dans certaines régions d'Espagne, de France, d'Italie et de Grèce. Les légumes, abondants et de grande qualité, sont le fer de lance de l'alimentation méditerranéenne ; d'importantes quantités de fruits et de légumes sont cultivées dans les vallées au sol riche et fertile, baignées de pluies fortes quoique sporadiques. Le climat méditerranéen est propice aux oliviers qui affectionnent les sols pauvres et rocailleux boudés par les autres cultures. Les régions montagneuses de France, d'Espagne, d'Italie et de Grèce offrent des terrains qui leur sont totalement adaptés, et l'huile extraite de leurs olives fournit la majeure partie de la matière grasse nécessaire à la cuisine. L'origine et la date exacte de la mise en culture des premiers oliviers restent inconnues, mais ceux-ci existaient déjà au Moyen-Orient et en Crète 3 000 ans av. J.-C. ; les Romains et les Grecs les ont ensuite introduits au cœur de la région méditerranéenne.

En étudiant l'histoire culturelle et géographique de la région, nous comprenons l'évolution des ingrédients et des méthodes culinaires. La société méditerranéenne est centrée sur la famille, la terre est divisée en petites propriétés et les familles ont tendance à rester regroupées et à se transmettre les recettes de génération en génération. Aujourd'hui encore, dans un monde en constante mutation, beaucoup de femmes restent à la maison pour faire la cuisine et, même si parfois la nourriture est difficile à produire, sa préparation n'est jamais une corvée. Ainsi, malgré une histoire extrêmement tourmentée, les peuples méditerranéens ont su préserver l'originalité de leur cuisine et nous en font maintenant apprécier l'incomparable saveur.

Les aliments

La cuisine méditerranéenne est une des plus colorées et éclatantes du monde, qui propose des mets d'une remarquable sensualité aromatisés aux herbes sauvages cueillies dans les champs ; l'agneau et le poulet sont souvent rôtis entiers à la braise ; les légumes sont utilisés en abondance dans toutes sortes de soupes, de gratins et de salades. Chaque pays possède son aliment de base favori – les Italiens ont les pâtes, les Espagnols le riz rond, les Turcs le boulgour et les Marocains le couscous. Les repas sont moins structurés que dans d'autres régions du monde et les gens grignotent souvent en cours de journée, au gré de rencontres sur les marchés ou dans les cafés.

Grâce à ses vertus diététiques, la cuisine méditerranéenne a gagné de nombreux adeptes au cours de ces dernières années. L'huile d'olive, sa matière grasse de prédilection, a pour propriété de diminuer le taux de cholestérol de l'organisme. Les vaches étant peu nombreuses, le beurre est rare hormis en Italie du Nord, en Espagne et en France ; ainsi, les yaourts et les fromages sont fabriqués avec du lait de brebis ou de chèvre.

Les œufs sont une denrée courante, employée de façon légèrement différente selon les pays, dans des mets comme la tortilla espagnole, la frittata italienne ou l'omelette française. Les jaunes d'œufs ont été utilisés pour la première fois au XIIIe siècle par les Catalans pour épaissir des sauces comme l'aïoli (une mayonnaise à l'ail). Les Grecs et les Turcs, qui emploient également le jaune d'œuf comme agent épaississant ou liant, sont réputés pour les sauces à l'œuf et au citron qui accompagnent les plats de viande et de volaille. Les fruits secs oléagineux – noix, noisettes, amandes et arachides – s'emploient fréquemment pour parfumer et épaissir les sauces ; ils entrent également dans la composition de nombreux mets, des soupes aux desserts. Les épices, venues d'Orient, sont particulièrement répandues dans les gastronomies espagnole et nord-africaine, qui présentent certaines similitudes. Chaque pays a ses préférences ; le safran, par exemple, très apprécié en Espagne et en Afrique du Nord, est peu utilisé en Grèce et en Turquie.

Les herbes, plus que tout autre ingrédient, sont intimement liées à la cuisine méditerranéenne qui en fait un usage généreux. Elles agrémentent presque chaque plat, lui conférant fragrance et sensualité. Les plus communes sont le basilic, la coriandre, l'origan frais et séché, le persil plat, la sauge, le thym et le romarin. En France, en Italie et en Espagne, le gibier occupe une place de choix. Parfois issu de l'élevage, il est le plus souvent capturé en période de chasse, un sport que de nombreux amateurs pratiquent avec enthousiasme et passion. Le lièvre, le lapin et le sanglier sont les animaux les plus courants.

La mer Méditerranée elle-même est une importante source de nourriture : tous les pays qui la bordent s'adonnent à la pêche. Le poisson et les fruits de mer foisonnent ; si vous vous promenez tôt le matin sur la jetée d'un de ses ports, vous assisterez à des scènes de retour de pêche colorées et tonitruantes où chaque bateau exhibe le produit de sa pêche. Des amas de crevettes et de calmars, des paniers de rougets et de loups et des caisses de sardines sont débarqués pêle-mêle pour être vendus sur les marchés environnants. Un de mes meilleurs souvenirs reste ce dîner en bord de mer, au soleil couchant... je me suis régalée de délicieux calmars, crevettes et poulpes grillés.

Les fruits entrent souvent dans la composition des mets salés. L'usage des fruits secs ainsi que des noix, noisettes, amandes et arachides se pratique surtout en Afrique du Nord. Les fruits, consommés en dessert, sont généralement d'une seule variété et se servent frais et détaillés en tranches. Les autres desserts sont souvent très sucrés, comme le baklava au miel et aux amandes en Grèce et en Turquie. Les Italiens sont connus pour leurs glaces et sorbets tandis que les Espagnols adorent les flans et les pâtisseries. Malgré les ressemblances évidentes que présentent les peuples de la Méditerranée dans le domaine culinaire, chaque pays possède son identité propre. Les pâtes, par exemple, nous font immédiatement penser à l'Italie, et pourtant on les cuisine également en Espagne où, à l'inverse des Italiens qui les préfèrent *al dente* – ou à point – les Espagnols les savourent moelleuses ou bien cuites.

Le livre

Il y a maintenant de nombreuses années que je suis tombée amoureuse de la cuisine méditerranéenne. Sa simplicité et la passion qu'elle suscite ont donné des plats regorgeant de saveur et de vitalité. Le climat et le relief instaurent des périodes de bombance et de jeûne qui résument à la perfection le mode de vie méditerranéen. Les saisons sont respectées, ainsi les produits de la terre sont consommés frais ; leur surplus est ensuite mis en conserve en prévision de périodes moins fastes. Les supermarchés existent bien sûr, mais les marchés locaux qui fournissent l'essentiel des ingrédients nécessaires caractérisent à eux seuls l'esprit méditerranéen.

Les mets sont éclatants de couleur mais classiques. J'aime cette manière de célébrer la nourriture, ces rassemblements d'amis autour d'une table d'amuse-gueule ou d'un repas qui peut durer des heures. Un simple déjeuner de poisson grillé servi avec une sauce pimentée et une salade verte laisse rayonner la saveur de chaque ingrédient. Ce livre n'est pas un énième recueil de recettes connues (il en comprend certaines bien évidemment), mais un florilège de plats nouveaux composés de saveurs empruntées aux diverses cuisines de la Méditerranée. Pour préparer cette célébration, je me suis largement inspirée des traditions, des modes de vie, des cultures et de l'histoire de toutes les régions sélectionnées.

Les ingrédients

L'essentiel de la cuisine méditerranéenne repose sur l'usage de produits frais et privilégie toujours les produits de saison, en vertu de quoi certaines recettes sont limitées à certaines périodes de l'année. La recherche d'ingrédients de qualité constitue une étape cruciale dans la réalisation d'un plat. Sélectionnez vos fournisseurs et achetez les meilleurs produits proposés sur le marché.

glossaire

L'aïoli

L'aïoli, ou mayonnaise à l'ail, nécessite l'emploi d'une huile d'olive vierge extra à la saveur douce. Les huiles au parfum plus prononcé risquent de donner une certaine amertume à la sauce.

Les anchois

En dehors des régions méditerranéennes, il est rare de trouver des anchois frais, mais les anchois au sel, qui sont ensuite séchés ou mis en boîte, sont en vente partout. Le goût et la consistance des anchois séchés sont meilleurs. Rincez-les à l'eau pour les dessaler et retirez l'arête centrale avant usage. S'ils sont trop salés, mettez-les à tremper une trentaine de minutes dans du lait.

Le bouquet garni

Composé de fines herbes, d'épices ou d'aromates rassemblées dans un morceau d'étamine, le bouquet garni sert à parfumer les ragoûts et les soupes. Vous pouvez l'acheter tout prêt dans des épiceries fines ou exotiques, mais il est préférable de le confectionner vous-même. Le contenu, variable, comprend le plus souvent un morceau de céleri en branche, une feuille de laurier, des brins de persil et de thym, une gousse d'ail pelée et quelques grains de poivre. Selon le plat, vous pouvez également ajouter du zeste d'orange et de citron, des épices et d'autres herbes.

Le boulgour

Parfois appelé blé concassé, c'est une céréale obtenue à partir de blé décortiqué que l'on fait bouillir jusqu'à ce qu'il se fende. Avant de consommer les grains de boulgour, il faut les faire gonfler et ramollir dans l'eau bouillante. Le boulgour est l'un des ingrédients de base de la cuisine grecque, turque et des pays du Moyen-Orient.

Les câpres

Les câpriers poussent sur tout le pourtour méditerranéen. Les boutons à fleurs, non épanouis, sont récoltés et salés ou conservés dans la saumure ou l'huile. Rincez-les avant usage.

Les citrons

Choisissez des citrons non traités, surtout si vous utilisez le zeste ou des rondelles.

Les citrons confits

Ce sont des pickles de citrons à la saveur vive et à la texture crémeuse que l'on ajoute aux plats de viande et de poisson.

Le coing

Ce joli fruit appartient à la famille des poires et des pommes : son goût évoque un peu ces deux fruits réunis. Il a une peau claire, duveteuse ou lisse, et une chair dure de couleur crème. Il n'est pas comestible cru et se consomme sous forme de gelée et de pâte. Il est très répandu dans tout le pourtour méditerranéen et entre dans la composition de plats de viande ou de desserts aux fruits.

Le couscous

Ingrédient principal de la cuisine nord-africaine, le couscous est fait avec de la semoule de blé dur qui a été moulue, mouillée et roulée dans la farine. Traditionnellement, on le fait cuire au-dessus d'un ragoût afin que la vapeur humecte les grains et leur donne du goût. La semoule pour couscous se vend généralement précuite, il est donc recommandé de lire attentivement le mode d'emploi ou de demander conseil à votre épicier si vous l'achetez au détail.

L'eau de fleur d'oranger

Elle est fréquemment utilisée en Afrique du Nord et au Moyen-Orient pour aromatiser les sirops, les pâtisseries, les desserts et les salades.

L'encre de calmar

Les bonnes poissonneries vendent de l'encre de calmar en petits sachets ; elle sert à parfumer des plats de riz.

Les épices

La toute-épice, qui appartient à la famille des piments est, comme son nom l'indique, une épice à plusieurs parfums. Elle agrémente les plats salés et sucrés.

Les baies de genièvre sont les baies violet foncé qui servent à parfumer le gin. Légèrement écrasées, elles libèrent un arôme particulier évoquant le pin.

Le paprika se vend doux, fort ou fumé ; c'est la pulpe séchée et moulue du *Capsicum annuum*, une variété de piment. Le paprika fort n'est pas réellement piquant mais il a un goût prononcé. Les Espagnols utilisent le paprika pour aromatiser les saucisses, les sauces et les plats de poisson.

Les filaments de safran sont les pistils rouges ou jaunes du crocus violet, principalement cultivé dans la province de la Manche en Espagne. Achetez les filaments plutôt que la poudre, qui est inférieure en qualité. Le safran est l'épice la plus chère du monde, mais une infime quantité suffit à parfumer un plat.

L'anis étoilé est communément associé à la cuisine orientale mais, comme beaucoup d'épices, il a beaucoup voyagé.

La farine de pois chiches

À base de pois chiches moulus, cette farine s'utilise principalement dans la cuisine indienne mais aussi dans la cuisine provençale et nord-africaine.

Le fenouil

C'est un produit polyvalent dont le bulbe se savoure en légume, les tiges et les feuilles étant consommés en herbes aromatiques et les graines en épice. On éparpille les tiges séchées sur les braises incandescentes pour parfumer les aliments cuits au barbecue.

Les feuilles de vigne

Elles sont souvent conservées dans la saumure ou sous vide. Lavez les feuilles avant usage.

Les fideus

Morceaux de pâte très fine ressemblant à du vermicelle ou à de petits spaghettis, utilisés dans les plats catalans, en particulier ceux à base de fruits de mer. Vous pouvez vous en procurer dans des épiceries espagnoles ou les remplacer par des pâtes italiennes fines – comme les capellini – que vous détaillez en morceaux de 5 cm. Les Espagnols aiment les pâtes molles et très cuites, à l'inverse des Italiens qui les préfèrent *al dente*.

Les fromages

La feta est un fromage de brebis de Grèce et de Turquie traditionnellement conservé dans du petit lait salé ou de la saumure, à la texture granuleuse et de couleur blanchâtre, qui s'emploie principalement dans les salades ou dans les farcis salés.

Le halloumi est un fromage de brebis turc à pâte semi-dure, légèrement salé, utilisé en cuisine. Il est détaillé en tranches puis grillé ou frit et doit être consommé immédiatement après la cuisson, faute de quoi il devient caoutchouteux.

Le kasar est un fromage de brebis à pâte dure qui se vend dans les épiceries turques. Vous pouvez le remplacer par du pecorino sardo.

Le kefalotiri est un fromage grec à pâte dure fait avec du lait de brebis, parfait pour être râpé ; il a un goût légèrement salé. Vous pouvez lui préférer du parmesan ou du pecorino sardo.

Le mascarpone est un fromage italien crémeux originaire de Lombardie fait avec du lait de vache. On le consomme frais ou dans les gâteaux ou les pâtisseries.

La mozzarella, un délicieux fromage italien moelleux traditionnellement fabriqué avec du lait de bufflonne, se consomme cru, dans les salades ou simplement arrosé d'un filet d'huile d'olive. La mozzarella au lait de vache, moins goûteuse, se consomme plutôt cuite dans les pizzas et les lasagnes.

Le parmesan est un fromage de vache italien à pâte dure que l'on sert avec les pâtes et le risotto. Achetez un morceau de parmigiano reggiano et conservez-le au réfrigérateur enveloppé de papier paraffiné.

Le pecorino est le nom générique italien pour désigner tous les fromages de brebis. Le pecorino romano et le pecorino sardo sont les variétés les plus connues. C'est un fromage à pâte dure comparable au parmesan, idéal à râper, qui offre une douce saveur de noisettes.

La ricotta est un fromage italien frais fait avec le petit lait issu de la fabrication d'autres fromages. Les Italiens utilisent la ricotta dans des mets salés, pour farcir des pâtes ou confectionner des gâteaux. Vous pouvez également consommer de la ricotta fraîche saupoudrée de sucre et de cannelle.

Les fruits de mer

On trouve des clams dans tout le pourtour méditerranéen ; les plus petits, appelés *vongole* en Italie, mesurent 2,5-5 cm de large. Ils se vendent dans les grandes poissonneries. Brossez-les avant de les faire cuire et jetez ceux qui ne s'ouvrent pas à la cuisson.

Les variétés de moules méditerranéennes ont une coquille bleu-noir, mais les grosses moules d'Espagne sont brun marbré. Brossez-les bien sous l'eau froide et ébarbez-les. Jetez celles qui ne s'ouvrent pas à la cuisson.

Les crevettes : choisissez-les fraîches, cuites ou crues, avec les têtes et les carapaces intactes. Les crevettes surgelées sont presque aussi bonnes que les fraîches. Retirez toujours les intestins (qui ont l'apparence d'une grosse veine noire) avant de les cuisiner.

L'harissa

Cette purée épicée marocaine est traditionnellement incorporée aux tajines pour en rehausser le goût. Elle est préparée avec des piments séchés et moulus. À utiliser avec parcimonie, car sa saveur est particulièrement ardente.

Les herbes

Les herbes aromatiques, qui font partie intégrante de la cuisine méditerranéenne, sont utilisées en abondance. Les plus courantes sont le basilic, la coriandre, l'aneth, la marjolaine, la menthe, l'origan, le persil plat, le romarin, la sauge et le thym. Achetez le plus souvent possible des herbes fraîches en bouquet, cela vous reviendra moins cher. Vous pouvez les conserver plusieurs jours au réfrigérateur dans un sachet plastique, en les aspergeant au préalable d'eau.

L'huile d'olive

C'est un ingrédient essentiel de la cuisine méditerranéenne, qui joue un rôle important dans la société contemporaine préoccupée de santé et de bien-être. En effet, c'est une matière grasse au goût agréable qui diminue le taux de cholestérol de l'organisme. La qualité d'une huile varie selon son acidité :

– l'huile d'olive vierge extra provient de la première pression à froid des olives fraîches ; c'est une huile de première catégorie, souvent chère, produite généralement par une seule propriété.

– l'huile d'olive vierge est de qualité inférieure ; elle s'obtient en mélangeant des huiles «première pression à froid» provenant de plusieurs propriétés. Son taux d'acidité ne doit pas excéder deux pour cent. Son goût est moins prononcé que celui de la précédente et son prix moins élevé.

– l'huile d'olive pure est souvent raffinée. Issue d'une troisième ou d'une quatrième pression, elle a souvent été chauffée et a perdu son caractère unique.

Le caractère, la couleur et la saveur d'une huile ne varient pas seulement d'un pays à l'autre, mais aussi d'une région à l'autre. En général, les huiles italiennes sont vert foncé avec un goût poivré, alors que les huiles espagnoles sont plus jaunes avec une saveur plus douce. Les huiles grecques sont denses et vertes avec un fort goût d'olive. La France produit moins d'huile, assez douce généralement.

Le jambon

Diverses variétés de jambons crus sont mentionnées dans ce livre, dont le Parme de l'Italie, le Bayonne de France et le Serrano d'Espagne. Vous pouvez utiliser indifféremment l'un des trois.

La levure

La levure sèche de boulanger se vend sous forme de granules que l'on fait dissoudre dans l'eau chaude avant de la mélanger à la farine.

La levure chimique se vend en sachets et se mélange directement à la farine.

La morue séchée

La morue séchée (et salée) est très répandue en Espagne, au Portugal et dans le sud de la France. Elle se vend dans les épiceries spécialisées et certaines poissonneries. Choisissez des morceaux épais avec beaucoup de chair. Elle se conserve pendant plusieurs mois au réfrigérateur, enveloppée dans du film plastique transparent. Faites-la tremper dans l'eau pendant 24 heures minimum pour la dessaler (en changeant l'eau plusieurs fois).

Les olives

L'olivier produit un fruit à noyau que l'on récolte et presse pour faire de l'huile ou qu'on laisse mûrir pour manger à table. Selon leur maturité, les olives varient en couleur de vert à marron en passant par un noir violacé. Les meilleures olives de table sont les suivantes :

– l'olive kalamata est une olive grecque ovale et pointue de couleur noire brunâtre au goût légèrement acide,

– l'olive niçoise est minuscule, de couleur brun pâle, à la chair douce et ferme,

– l'olive toscane est noire, brillante, avec une chair ratatinée et un goût qui évoque la terre.

L'orzo

Une petite pâte (pâte bec d'oiseau – rosmarino), de la forme d'un grain de riz, utilisée dans les cuisines italienne et grecque.

L'ouarka

Pâte marocaine ressemblant à la pâte filo ou aux feuilles de brick mais légèrement plus épaisse et moins fragile. Elle sert à confectionner la bastilla, une succulente tourte au poulet.

La pancetta

Variété de lard italien à la saveur assez douce. La pancetta se vend dans les épiceries italiennes, nature ou fumée, en une seule pièce ou détaillée en rondelles. Elle contient moins d'eau que le lard maigre et son goût est meilleur, mais vous pouvez très bien la remplacer par du lard.

Les pâtes

C'est le produit de base de l'alimentation italienne. Les pâtes sèches, faites avec du blé dur, conviennent pour la majorité des plats. Les pâtes fraîches industrielles ont souvent un goût farineux et une texture élastique. Les pâtes sèches aux œufs sont excellentes.

La pâte filo

La pâte filo se présente sous forme de feuilles très fines et sert à confectionner des pâtisseries, des tartes et des farcis dans les cuisines grecque, turque, nord-africaines et moyen-orientales. Les feuilles de pâte sèchent très rapidement, il est donc conseillé de les couvrir d'un torchon humide.

Les piments

La cuisine méditerranéenne utilise de nombreuses variétés de piments ; les plus forts entrent dans la composition des mets nord-africains. Retirez les pépins pour obtenir une saveur plus douce et procédez par petites quantités. Le piment séché en paillettes est particulièrement piquant, car il comprend les graines et la chair. Lavez-vous les mains après avoir manipulé du piment et évitez de vous frotter les yeux.

La polenta

Produit italien, la polenta est une farine de maïs. Elle est souvent vendue précuite, il est donc recommandé de lire le mode d'emploi avant de la cuisiner.

Les porcini

C'est le nom italien des cèpes. Ils poussent dans les bois de feuillus. On trouve également des cèpes séchés.

Le potiron

Membre de la famille des cucurbitacées, le potiron entre dans la composition de nombreux mets du pourtour méditerranéen. Les Italiens l'utilisent pour préparer des plats de pâtes farcies. Dans la plupart des recettes, on peut souvent le remplacer par de la courge.

Le riz

Le riz qui sert à la préparation du risotto est un riz italien capable d'absorber une grande quantité de liquide de cuisson sans se ramollir — c'est pourquoi le risotto possède une texture crémeuse caractéristique. Les riz arborio et carnoroli sont des riz à risotto extrêmement fins mais assez coûteux. Leur équivalent espagnol est le riz de Valence, utilisé pour la paella et d'autres plats de riz. Il n'est pas aussi moelleux que le riz italien et se trouve plus difficilement.

La roquette

Salade au goût poivré connue sous le nom d'*arugula* en Italie.

Les saucisses

Le chorizo est une saucisse rouge espagnole parfumée au paprika et à l'ail. Il existe deux variétés : la saucisse la plus tendre est consommée cuite, tandis que le chorizo séché est détaillé en rondelles et consommé tel quel sous forme de tapa.

Les saucisses italiennes varient d'une région à l'autre. La plus connue est la luganega du nord de l'Italie. Elle est parfumée à l'ail et au piment. Si vous n'en trouvez pas, remplacez-la par une bonne saucisse de porc aux herbes et aux épices.

Les saucisses de Toulouse sont faites avec du porc grossièrement haché.

Le sirop de grenade

Sirop épais et sombre extrait de grenades aigres, utilisé en Afrique du Nord et au Moyen-Orient, au goût fort et sucré.

Le tahini

Le tahini est une purée obtenue en écrasant les graines de sésame grillées. Il est surtout utilisé en Grèce et en Turquie pour parfumer les sauces ; c'est également l'ingrédient principal de l'hoummos, une purée de pois chiches.

Les tomates

Les recettes de ce livre recommandent d'utiliser des tomates en grappes mûries sur pied, dont le goût se rapproche plus de celles que l'on cultive dans les régions méditerranéennes. Elles sont beaucoup plus savoureuses que les tomates que l'on fait mûrir après cueillette. Choisissez des tomates rouge vif, odorantes et à la chair ferme.

Les tomates séchées au soleil

Achetez des tomates séchées conservées dans l'huile, égouttez-les et utilisez-les comme indiqué dans la recette. Vous trouverez de la pâte de tomates séchées en tubes et en bocaux. Vous pouvez également la préparer vous-même en mixant les tomates avec un peu de leur huile de conserve.

Le trahana

Le trahana est une pâte grecque à base de farine, de semoule ou de boulgour et de yaourt fermenté. Il sert à parfumer et à épaissir les soupes et les ragoûts.

Les vinaigres

Le vinaigre balsamique de Modène, ville du nord de l'Italie, présente une couleur foncée et une saveur douce. Il vieillit dans des barils de bois pendant une vingtaine d'années. Il est assez onéreux mais finalement économique à l'usage.

Le vinaigre de xérès, richement parfumé, est l'équivalent espagnol du vinaigre balsamique.

hors-d'œuvre

Dans les pays méditerranéens, on a coutume de servir une sélection de hors-d'œuvre, amuse-gueule ou snacks salés, à consommer dans la journée ou en prélude aux repas. On les appelle tapas en Espagne, antipasti en Italie et mezze en Grèce, en Turquie et au Moyen-Orient. Traditionnellement, on propose un choix de sauces variées en accompagnement. Les plats présentés dans ce chapitre peuvent être servis en entrée si vous le souhaitez.

beignets de morue et hoummos de betterave

grèce

800 g de morue salée
(pour obtenir 8 beignets
de la longueur d'un doigt)

un peu de lait

huile végétale, pour la friture

Hoummos de betterave :

25 g de mie de pain rassis

200 g de betteraves cuites,
hachées

1 cuillerée à soupe de tahini
(purée de sésame)

1 gousse d'ail écrasée

½ cuillerée à café de cumin
en poudre

5-10 cl d'huile d'olive vierge extra

1-2 cuillerées à soupe de jus
de citron

sel et poivre

Pâte :

1 œuf, blanc et jaune séparés

1 cuillerée à soupe d'huile d'olive

10 cl de bière blonde

80 g de farine

Pour garnir :

quartiers de citron

persil plat

Cette recette s'inspire d'un plat succulent que j'ai eu l'occasion de déguster dans un restaurant grec de Londres – ces croustillants beignets de morue s'accordent à merveille avec la saveur douce de l'hoummos de betterave. Mettez la morue à tremper la veille.

1 Mettez la morue dans un saladier et recouvrez-la d'eau froide. Laissez-la tremper pendant 24 heures en changeant l'eau à plusieurs reprises. Rincez la morue à l'eau froide avant usage.

2 Dépouillez la morue, détaillez-la en filets et retirez les arêtes. Découpez les filets en bâtonnets et faites-les tremper dans du lait pendant 2 heures. Égouttez-les sur du papier absorbant.

3 Pour préparer l'hoummos, hachez la mie de pain au robot ménager pour obtenir de la chapelure, puis ajoutez la betterave, le tahini, l'ail et le cumin. Mixez jusqu'à obtention d'une pâte onctueuse. Ajoutez progressivement une quantité d'huile suffisante pour obtenir une sauce épaisse, puis assaisonnez de jus de citron, de sel et de poivre. La consistance de cette purée doit ressembler à celle de l'hoummos classique.

4 Pour préparer la pâte, mettez le jaune d'œuf, l'huile, la bière, la farine, le sel et le poivre dans une jatte ; battez ensemble tous les ingrédients jusqu'à obtention d'un mélange onctueux. Couvrez et réservez pendant une trentaine de minutes, puis montez en neige le blanc d'œuf et incorporez-le à la pâte.

5 Dans une sauteuse, chauffez 5 cm d'huile à 180 °C (ou jusqu'à ce qu'un croûton de pain dore en 30 secondes). Farinez les morceaux de poisson, plongez-les dans la pâte et faites-les frire 2-3 minutes, jusqu'à obtention de beignets croustillants et dorés. Égouttez bien et réservez au chaud dans un four tiède pendant que vous faites frire le reste. Servez les beignets chauds avec l'hoummos de betterave et garnissez de quartiers de citron et de brins de persil.

Pour 4 personnes

Variante : vous pouvez également remplacer la morue séchée par de la morue fraîche. Dépouillez et détaillez 500 g de cabillaud en filets. Découpez-les en bâtonnets de la longueur d'un doigt. Parsemez de sel et laissez reposer 1 heure. Lavez et séchez au papier absorbant puis procédez comme indiqué ci-dessus.

bricks de crabe à l'aïoli

tunisie

D'origine tunisienne, les bricks sont des beignets salés faits de ouarka, une pâte très fine semblable à la pâte filo, et garnis de diverses farces. Traditionnellement, un brick se compose d'œuf battu, de viande, de poisson ou de légumes.

25 g de beurre

1 échalote finement hachée

1 gousse d'ail écrasée

1 piment rouge épépiné et haché

2 œufs légèrement battus

un peu de jus de citron

une pincée de paprika

250 g de chair de crabe fraîche

4 feuilles de pâte filo (28 x 45 cm)

blanc d'œuf, pour badigeonner

huile végétale, pour la friture

sel et poivre

aïoli (voir page 134), pour servir

1 Faites fondre le beurre dans une petite sauteuse puis faites revenir l'échalote, l'ail et le piment à feu doux, jusqu'à ce qu'ils soient fondants mais non dorés. Incorporez l'œuf, le jus de citron et le paprika et remuez à feu doux jusqu'à ce que le mélange soit sec.

2 Retirez du feu, laissez refroidir et incorporez le crabe. Salez et poivrez.

3 Prenez une feuille de pâte filo (couvrez les autres feuilles d'un torchon humide) et pliez-la en trois en diagonale. Badigeonnez le dessus de blanc d'œuf et placez un quart du mélange au crabe à l'une des extrémités. Repliez la pâte par-dessus une fois, badigeonnez de blanc d'œuf si nécessaire, puis continuez à rouler la pâte pour former des «coussins», en pressant les bords ensemble pour les sceller. Répétez l'opération pour confectionner 4 bricks.

4 Dans une sauteuse, chauffez 5 cm d'huile à 180 °C (ou jusqu'à ce qu'un croûton de pain dore en 30 secondes). Faites frire 2 bricks à la fois pendant 4-5 minutes, jusqu'à ce qu'ils soient dorés et croustillants. Réservez-les au chaud dans un four tiède pendant que vous faites frire les 2 autres bricks. Servez ces beignets de crabe chauds, avec de l'aïoli.

Pour 4 personnes

baba ghanouj

liban

Ce pâté d'aubergines épicé se prépare de plusieurs manières, chaque recette offrant sa particularité. Certaines incluent du tahini, d'autres du yaourt, mais cette version, légèrement aromatisée à la menthe hachée, est ma préférée.

1 Piquez toute la surface des aubergines à la fourchette et glissez-les dans un four préchauffé à 200 °C/th. 6, pendant 20-30 minutes, jusqu'à ce que leur peau se ratatine. Tournez-les en cours de cuisson. Laissez refroidir.

2 Ouvrez les aubergines en deux dans la longueur et évidez-les à la cuiller. Mettez la chair dans un robot ménager, ajoutez tous les ingrédients excepté l'huile, salez et poivrez. Mixez jusqu'à obtention d'une pâte onctueuse, puis incorporez progressivement l'huile pour lier. Salez et poivrez ; servez avec du pain grillé ou de la pita.

Pour 6 personnes

2 aubergines

1 gousse d'ail écrasée

½ cuill. à café de cumin en poudre

1 cuillerée à soupe de tahini (pâte de sésame)

2 cuill. à soupe de menthe hachée

1 tomate pelée, épépinée et coupée en dés

4-6 cuillerées à soupe d'huile d'olive vierge extra

sel et poivre

pita (pain grec) ou pain grillé (voir page 112)

beignets de fromage

chypre

Le kefalotiri est un fromage de brebis grec à pâte dure qui se vend dans les épiceries grecques et turques ; on peut le remplacer par du pecorino sardo ou du parmesan. Si vous le souhaitez, préparez les beignets à l'avance et réchauffez-les une dizaine de minutes au four tiède.

1 Mettez tous les ingrédients dans un saladier et remuez pour obtenir une pâte compacte.

2 Dans une sauteuse, chauffez 5 cm d'huile végétale à 180 °C (ou jusqu'à ce qu'un croûton de pain dore en 30 secondes). Plongez dans l'huile des cuillerées à soupe de mélange au fromage (4 à la fois environ). Faites frire les beignets 2-3 minutes, en les retournant à mi-cuisson, jusqu'à ce qu'ils soient croustillants et dorés. Égouttez-les sur du papier absorbant et réservez-les dans un four tiède pendant que vous faites frire le reste.

3 Servez les beignets aussi chauds que possible, avec du citron.

Pour 4-6 personnes

50 g de halloumi coupé en dés

50 g de feta émiettée

25 g de kefalotiri râpé

25 g de farine

1 œuf battu

1 cuillerée à soupe de lait

½ cuillerée à soupe de coriandre hachée

½ cuillerée à soupe de menthe hachée

une pincée de cumin en poudre

une pincée de cannelle en poudre

poivre

huile végétale, pour la friture

quartiers de citron, pour servir

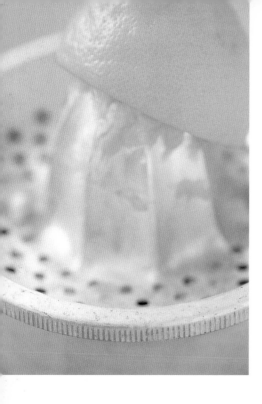

fèves au chorizo

espagne

250 g de fèves décortiquées

125 g de chorizo

1 cuillerée à soupe d'huile d'olive

2 gousses d'ail grossièrement hachées

1 cuillerée à soupe d'aneth haché

1 cuillerée à soupe de menthe hachée

jus d'un demi-citron

sel et poivre

pain croustillant, pour servir

J'ai goûté ce plat pour la première fois chez un ami anglais, mais il est servi dans tous les bars à tapas d'Espagne.

1 Blanchissez les fèves 1 minute dans de l'eau bouillante légèrement salée, égouttez-les et rincez-les à l'eau froide. Séchez-les bien.

2 Détaillez le chorizo en rondelles de ½ cm d'épaisseur. Chauffez l'huile dans une sauteuse, ajoutez l'ail, faites-le revenir à feu doux 2-3 minutes, puis jetez-le. Augmentez la flamme, ajoutez le chorizo et faites-le dorer 2-3 minutes.

3 Incorporez les fèves, poursuivez la cuisson 2-3 minutes, puis ajoutez les herbes ; arrosez de jus de citron, salez et poivrez. Servez chaud avec du pain croustillant.

Pour 4-6 personnes

légumes d'été et aïoli aux fines herbes

france

Ce plat paraîtra d'une évidente beauté à ceux qui ont la chance de cultiver leur potager. Les autres se contenteront des souvenirs glanés au cours de leurs déambulations sur les marchés méditerranéens qui regorgent de légumes frais, proposés à la vente quelques heures seulement après la cueillette. Achetez vos légumes chez un petit producteur ou chez un marchand de primeurs de qualité.

1 Pour préparer l'aïoli, écrasez les gousses d'ail et le sel de mer dans un mortier avec un pilon. Transférez ce mélange dans un robot ménager, ajoutez les jaunes d'œufs, le jus de citron, la moutarde et le poivre puis mixez brièvement jusqu'à obtention d'une pommade pâle.

2 Sans arrêter le robot, versez l'huile en filet jusqu'à ce que la sauce soit émulsionnée, épaisse et brillante. Ajoutez les herbes vers la fin pour donner à la sauce une couleur vert clair et un aspect marbré. Si vous souhaitez fluidifier l'aïoli, ajoutez une ou deux cuillerées d'eau bouillante et fouettez.

3 Lavez et essuyez les légumes. Dressez-les sur un plat de service et servez-les avec des quartiers de citron et l'aïoli aux herbes.

Pour 4 personnes

---

500 g de légumes d'été frais

quartiers de citron, pour servir

Aïoli aux fines herbes :

2-8 gousses d'ail, selon votre goût

½ cuillerée à café de sel de mer

2 jaunes d'œufs

1 cuillerée à soupe de jus de citron

1 cuillerée à café de moutarde de Dijon

30 cl d'huile d'olive vierge extra française (voir page 8)

4 cuillerées à soupe d'herbes mélangées dont du basilic, de la ciboulette et du persil

1-2 cuillerées à soupe d'eau bouillante

poivre

radis et beurres de provence

france

Même si l'on associe souvent le sud de la France à l'huile d'olive, le beurre est utilisé dans de nombreux plats et souvent assaisonné d'herbes aromatiques du cru. Vous trouverez souvent sur les tables des restaurants méridionaux de petits pots de beurres aromatisés à déguster avec vos tranches de pain.

Pour chaque beurre :

50 g de beurre à température ambiante

1-2 cuillerées à café d'huile d'olive

Assaisonnement au safran :

½ cuill. de filaments de safran

une pincée de sel marin

Assaisonnement au basilic et à l'ail :

15 g de feuilles de basilic

1 gousse d'ail, écrasée

jus de citron

sel et poivre

Assaisonnement aux anchois :

25 g d'olives noires dénoyautées

2 filets d'anchois au sel, hachés

Pour servir :

jeunes radis

lichettes de pain

sel de mer et poivre

1 Pour préparer le beurre au safran, réduisez en poudre les filaments de safran et le sel marin, puis confectionnez une purée en ajoutant le beurre et l'huile d'olive.

2 Pour préparer le beurre à l'ail et au basilic ainsi que le beurre aux anchois, mélangez tous les ingrédients dans un robot ménager et mixez jusqu'à obtention d'une pommade onctueuse.

3 Modelez chaque morceau de beurre en un rouleau, enveloppez-le dans du film étirable et réfrigérez. Au moment voulu, sortez-le du réfrigérateur et servez-le avec les radis, des lichettes de pain et du poivre.

Pour 12 personnes

carpaccio de thon aux câpres

italie

50 g de câpres en conserve, rincées

1 cuillerée à soupe de farine

3 cuillerées à soupe d'huile d'olive

125 g de filet de thon

25 g de pecorino sardo

quelques feuilles de salade

Sauce :

½ petite échalote finement hachée

1 cuillerée à café de jus de citron

½ cuillerée à café de moutarde
de Dijon

une pincée de sucre

6 cuillerées à soupe d'huile d'olive
vierge extra

sel et poivre

De minces tranches de thon fondantes sont garnies de câpres frites et nappées d'une insolite sauce au citron et à la moutarde.

1 Égouttez les câpres sur du papier absorbant et saupoudrez-les de farine. Chauffez l'huile dans une petite sauteuse et faites frire les câpres pendant 2-3 minutes, jusqu'à ce qu'elles soient croustillantes et dorées. Égouttez-les sur du papier absorbant.

2 Pour préparer la sauce, mettez tous les ingrédients dans un saladier et fouettez énergiquement pour bien mélanger.

3 Détaillez le thon en tranches minces. Dressez-les sur des assiettes de service, garnissez de câpres, de copeaux de pecorino et de quelques feuilles de salade. Nappez de sauce et servez immédiatement.

Pour 4 personnes

tortilla

espagne

Il existe de nombreuses recettes de tortillas, l'omelette espagnole classique, mais j'ai souvent été déçue du résultat car elles ne sont jamais aussi bonnes que celles des bars à tapas. La seule façon d'obtenir une vraie tortilla consiste à faire un usage généreux de l'huile d'olive. Pas de panique ! Une partie de l'huile est éliminée avant que la tortilla ne soit cuite et cette succulente omelette espagnole vaut bien quelques entorses à son régime !

1 Chauffez l'huile dans une grande sauteuse, ajoutez les pommes de terre, l'oignon et un peu de sel et faites rissoler le tout à feu doux pendant une vingtaine de minutes, en remuant de temps en temps.

2 Battez les œufs dans un grand saladier. Retirez les pommes de terre et les oignons de la sauteuse (avec une écumoire) puis incorporez-les aux œufs battus. Salez et poivrez. Laissez reposer 10 minutes. Réservez 3 cuillerées à soupe d'huile et jetez le reste.

3 Chauffez 2 cuillerées à soupe d'huile dans la sauteuse. Ajoutez le mélange œufs-pommes de terre, réduisez la flamme et laissez cuire l'omelette une dizaine de minutes à feu doux, jusqu'à ce que le dessous soit doré. Transférez délicatement la tortilla sur une grande assiette, côté cuit vers le haut. Versez le reste d'huile dans la sauteuse et faites cuire l'autre côté de la tortilla pendant 5 minutes.

4 Retirez la tortilla de la sauteuse. Servez-la chaude ou froide, détaillée en carrés ou en parts triangulaires.

Pour 10-12 personnes

20 cl d'huile d'olive vierge extra

800 g de pommes de terre, coupées en dés

1 oignon haché

4 gros œufs

sel et poivre

pamboli à la tomate

majorque

Les pamboli sont des tranches de pain assaisonnées d'huile d'olive que l'on déguste à l'apéritif sur l'île de Majorque. Cette spécialité rappelle donc fortement les bruschettas que l'on prépare et savoure en Italie. Les Majorquins frottent leur pain grillé avec une tomate d'une variété particulière, à la peau épaisse, qui se presse aisément. Vous pouvez utiliser des tomates en grappes mûries sur pied, mais il est plus difficile d'en extraire le jus.

1 Faites griller les tranches de pain et frottez-les d'ail. Prenez une moitié de tomate et frottez une face de chaque tranche avec, en pressant bien pour extraire la pulpe et les graines. Arrosez les tranches d'huile d'olive et ajoutez un peu de vinaigre, du sel et du poivre. Dégustez immédiatement.

Pour 2 personnes

Variante : pour une garniture plus riche, ajoutez jambon cru, olives et câpres.

2 tranches de pain de campagne

1 gousse d'ail, pelée (facultatif)

1 tomate, partagée en deux

huile d'olive vierge extra

vinaigre rouge

sel et poivre

poivrons frits à la feta

turquie

Si vous avez voyagé en Turquie ou déambulé sur un marché turc, vous avez sûrement remarqué les nombreuses variétés de poivrons proposées sur les étals, dont ceux de couleur vert pâle, longs de 12 à 15 cm, qui ressemblent à des piments anémiques. N'ayez crainte, ce sont des poivrons, ou piments doux, parfaits pour préparer cet en-cas.

1 Coupez les poivrons en deux dans la longueur et épépinez-les délicatement. Disposez-les sur une plaque de four, badigeonnez-les d'huile d'olive et faites-les griller 2-3 minutes de chaque côté, jusqu'à ce qu'ils soient moelleux et noirs par endroits.

2 Transférez les poivrons sur un plat de service et garnissez-les d'ail, de feta et de persil. Arrosez-les d'huile d'olive, ajoutez un peu de vinaigre ou de jus de citron, salez et poivrez. Servez chaud.

Pour 4 personnes

8 poivrons verts corne de bœuf
(ou charleston)

huile d'olive vierge extra

1 gousse d'ail, émincée

125 g de feta détaillée en tranches

1 cuillerée à soupe de persil haché

vinaigre rouge ou jus de citron

sel et poivre

gnocchis
au basilic

italie

500 g de pommes de terre
farineuses

1 gros œuf battu

1 cuillerée à café de sel

1 cuillerée à soupe d'huile d'olive

200 g de farine

feuilles de basilic, pour garnir

parmesan fraîchement râpé,
pour servir

Farce :

1 cuillerée à soupe d'huile d'olive

½ gousse d'ail écrasée

1 petite échalote finement hachée

50 g de tomates séchées à l'huile
égouttées et hachées

150 g de ricotta

sel et poivre

Huile au basilic :

50 g de feuilles de basilic

8 cuillerées à soupe d'huile d'olive
vierge extra

une pincée de sel

1 Faites bouillir les pommes de terre jusqu'à ce qu'elles soient fondantes, égouttez-les bien et remettez-les dans la casserole pour les sécher à feu doux. Réduisez-les en purée au moulin à légumes, laissez refroidir un moment puis incorporez l'œuf, le sel, l'huile d'olive et suffisamment de farine pour obtenir une pâte souple. Pétrissez-la sur un plan de travail fariné puis façonnez une boule. Enveloppez-la dans du film étirable et laissez reposer pendant que vous préparez la farce.

2 Pour préparer la farce, chauffez l'huile dans une petite sauteuse et faites revenir l'ail et l'échalote à feu doux jusqu'à ce qu'ils soient fondants. Réduisez-les en purée avec les tomates et la ricotta ; salez et poivrez à volonté.

3 Pétrissez brièvement la pâte, partagez-la en six morceaux et abaissez un morceau de pâte. Découpez des ronds de 8 cm de diamètre à l'emporte-pièce et humectez les bords avec un peu d'eau. Déposez une cuillerée à soupe de farce au milieu de chaque rond, pliez-le en deux puis pressez les bords ensemble pour sceller le gnocchi. Confectionnez 30 gnocchis farcis, posez-les sur un plateau fariné, couvrez et mettez au freezer pendant au moins 2 heures.

4 Au moment de servir, portez à ébullition une grande marmite d'eau salée. Pendant ce temps, préparez l'huile au basilic. Versez de l'eau bouillante sur les feuilles de basilic pour qu'elles se flétrissent, rafraîchissez-les à l'eau froide et séchez-les. Réduisez-les en purée avec l'huile et un peu de sel afin d'obtenir une sauce de couleur vive.

5 Plongez les gnocchis gelés dans l'eau bouillante que vous portez une nouvelle fois à ébullition et faites-les cuire 5-6 minutes ; égouttez-les bien. Servez les gnocchis avec un peu d'huile au basilic et du parmesan fraîchement râpé ; garnissez de feuilles de basilic.

Pour 6 personnes

soupes et ragoûts

Les soupes méditerranéennes, riches en morceaux et plutôt rustiques, sont des plats à part entière, à l'inverse des veloutés onctueux d'Europe du Nord, plus sophistiqués. Les légumineuses et les céréales sont abondamment utilisées dans des soupes et ragoûts qui souvent sont généreusement relevés. Traditionnellement, nombre de ces plats étaient cuisinés dans des récipients en terre cuite, comme le tajine marocain, mais ils s'adaptent aisément à la cocotte moderne.

soupe de tomates à la mie de pain

italie

Après un voyage mouvementé, nous sommes arrivés dans une petite trattoria des faubourgs de Florence et j'ai finalement commandé, avec le peu d'italien dont je disposais, cette soupe de tomates à la mie de pain. Servie à température ambiante, elle était si dense que j'aurais pu la couper au couteau. J'ai depuis lors essayé à plusieurs reprises de retrouver ses fantastiques saveurs. Cette version chaude ressemble beaucoup à l'originale ; elle peut également se déguster à température ambiante, si vous le souhaitez.

1 kg de tomates en grappes mûries sur pied, pelées, épépinées et hachées

30 cl de bouillon de légumes

6 cuillerées à soupe d'huile d'olive vierge extra

2 gousses d'ail écrasées

1 cuillerée à café de sucre

2 cuillerées à soupe de basilic haché

100 g de mie de pain rassis

1 cuillerée à soupe de vinaigre balsamique

sel et poivre

pesto (voir page 138) pour servir (facultatif)

1 Mettez les tomates dans une cocotte avec le bouillon, 2 cuillerées à soupe d'huile d'olive, l'ail, le sucre et le basilic puis portez lentement à ébullition. Couvrez et laissez mijoter une trentaine de minutes.

2 Émiettez la mie de pain dans la soupe et remuez à feu doux jusqu'à ce qu'elle épaississe. Ajoutez le vinaigre et le reste d'huile, salez et poivrez. Servez immédiatement ou laissez refroidir à température ambiante. Si vous le souhaitez, ajoutez une cuillerée de pesto dans chaque assiette avant de servir.

Pour 4 personnes

soupe aux noix

turquie

4 cuillerées à soupe d'huile de noix

1 oignon finement haché

1 gousse d'ail écrasée

1 cuillerée à café de cannelle

une pincée de cumin et coriandre

200 g de noix grillées et hachées

50 g de chapelure sèche

1 l de bouillon de légumes
ou de volaille (voir page 139)

1 cuillerée à soupe de jus de citron

1 cuill. à soupe de sirop de grenade

sel et poivre

Pour servir :

yaourt à la grecque

huile pimentée

Une riche soupe avec des noix grillées et moulues qui se savoure dans tout le Moyen-Orient ainsi qu'en Afrique du Nord.

1 Chauffez l'huile dans une sauteuse et faites dorer pendant 5 minutes l'oignon, l'ail, la cannelle, le cumin et la coriandre. Ajoutez les noix, la chapelure et poursuivez la cuisson 5 minutes à feu doux, en remuant de temps en temps.

2 Transférez le mélange aux épices dans un robot ménager, ajoutez une cuillerée de bouillon, le jus de citron, le sirop de grenade, le sel et le poivre. Mixez jusqu'à obtention d'une purée, avant d'incorporer progressivement le reste de bouillon.

3 Transférez la soupe dans la sauteuse et portez lentement à ébullition. Couvrez et laissez frémir une quinzaine de minutes puis salez et poivrez. Servez la soupe garnie de yaourt à la grecque et d'un filet d'huile pimentée.

Pour 6 personnes

soupe aux fèves et au chou

espagne

200 g de fèves séchées, mises
à tremper la veille dans l'eau froide

250 g de chorizo à cuire

2 brins de romarin

un bouquet garni

1,75 l d'eau froide

2 cuillerées à soupe d'huile d'olive

1 oignon, haché

2 gousses d'ail écrasées

1 petit poivron rouge haché

une pincée de piment de Cayenne

250 g de chou de Milan en lanières

1 cuillerée à soupe de persil haché

sel et poivre

Pour servir : **huile d'olive, pain chaud**

1 Égouttez et rincez les fèves ; mettez-les dans une cocotte avec 125 g de chorizo en un seul morceau, le romarin, le bouquet garni et l'eau froide. Portez à ébullition, laissez bouillir une dizaine de minutes à gros bouillon puis couvrez et laissez mijoter de 1 h à 1 ½ h, jusqu'à ce que les fèves soient fondantes.

2 Chauffez l'huile dans une sauteuse et faites revenir pendant 5 minutes l'oignon, l'ail, le poivron rouge et le piment de Cayenne. Détaillez en dés le chorizo restant, ajoutez-le au contenu de la sauteuse et poursuivez la cuisson 5 minutes.

3 Incorporez le mélange à l'oignon aux fèves cuites avec le chou, le sel et le poivre. Portez à ébullition et laissez cuire une vingtaine de minutes. Ajoutez le persil, vérifiez l'assaisonnement et transférez dans des écuelles chaudes. Arrosez d'un filet d'huile d'olive et servez immédiatement avec du pain croustillant.

Pour 4 personnes

soupe de potiron
et pesto à la coriandre
france

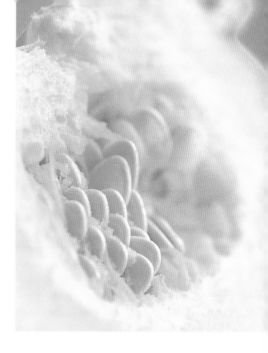

Dans cette recette, le pistou (mot provençal désignant le pesto italien), préparé avec de la coriandre au lieu de l'habituel basilic, donne une touche nord-africaine à cette soupe provençale.

1 Étalez le potiron, les brins de thym et les gousses d'ail dans un plat à four, en une seule couche. Ajoutez la moitié de l'huile et remuez délicatement. Salez et poivrez à votre convenance puis glissez le plat dans un four préchauffé à 200 °C/th. 6. Laissez cuire les légumes une trentaine de minutes, jusqu'à ce qu'ils soient fondants.

2 Pendant ce temps, chauffez le reste d'huile dans une sauteuse et faites revenir l'oignon, le céleri et le piment pendant 10 minutes, jusqu'à ce qu'ils soient moelleux. Ajoutez le bouillon, portez à ébullition, couvrez et laissez frémir 20 minutes environ. Incorporez le potiron grillé et le contenu du plat, portez à nouveau à ébullition et laissez mijoter 5 minutes.

3 Jetez les brins de thym puis transférez la soupe dans un robot ménager ; mixez jusqu'à obtention d'un mélange onctueux. Réservez au chaud.

4 Pour préparer le pistou, mettez tous les ingrédients dans un mortier et écrasez-les au pilon jusqu'à obtention d'une purée lisse. Vous pouvez également utiliser un moulin à épices ou un mixer. Servez la soupe dans des écuelles chaudes et garnissez d'un peu de pistou.

Pour 6 personnes

500 g de pulpe de potiron coupée en dés

4 brins de thym

4 gousses d'ail entières, pelées

4 cuillerées à soupe d'huile d'olive

1 oignon haché

2 branches de céleri émincées

1 piment rouge épépiné et haché

1,20 l de bouillon de légumes

sel et poivre

Pistou à la coriandre :

25 g de feuilles de coriandre

1 gousse d'ail écrasée

1 cuillerée à soupe d'amandes mondées, hachées

4 cuillerées à soupe d'huile d'olive vierge extra

1 cuillerée à soupe de parmesan fraîchement râpé

sel et poivre

harira

maroc

1 poulet fermier de 1,5 kg

2-4 cuillerées à soupe d'huile
d'olive

1 oignon haché

4 gousses d'ail écrasées

1 cuillerée à café de rhizome
de gingembre frais râpé

2 cuillerées à café de paprika fort

½ cuill. de filaments de safran

800 g de tomates pelées en boîte,
coupées en dés

1 l d'eau

125 g de pois chiches cuits
en conserve

50 g de lentilles rouges

50 g de riz basmati

jus d'un citron

2 cuill. de persil et de coriandre

1-2 cuillerées à soupe d'harissa
(voir ci-dessous), facultatif

sel et poivre

pita (pain grec) grillé, pour servir

La harira est une soupe que l'on consomme pendant le mois du ramadan dans tous les pays musulmans, de l'Afrique du Nord au Moyen-Orient, pour marquer la rupture du jeûne.
Je la trouve bien meilleure le lendemain, quand elle est devenue naturellement épaisse après absorption du liquide par le riz et les lentilles.

1 Découpez le poulet en huit morceaux (ou demandez à votre boucher de le faire pour vous). Chauffez l'huile dans une cocotte et faites dorer les morceaux de poulet de façon uniforme. Retirez avec une écumoire.

2 Ajoutez un peu d'huile si nécessaire, puis faites revenir l'oignon, l'ail et le gingembre pendant une dizaine de minutes, jusqu'à ce qu'ils soient légèrement dorés. Remettez le poulet dans la cocotte et ajoutez le reste des ingrédients excepté les herbes et l'harissa. Couvrez et laissez mijoter 45 minutes.

3 Sortez les morceaux de poulet, laissez-les refroidir puis détachez délicatement la chair des os. Incorporez le poulet à la soupe. Laissez complètement refroidir la soupe, couvrez et réfrigérez toute la nuit.

4 Réchauffez la soupe, incorporez le persil, la coriandre et l'harissa puis servez avec du pain pita grillé.

Pour 8 personnes

harissa

maroc

L'harissa est une sauce aux piments très relevée originaire du Maroc. Si vous préférez, épépinez les piments avant usage. L'harissa accompagne les ragoûts de viande, de poisson, les soupes et les salades, mais utilisez-la en petite quantité, car c'est un condiment très ardent.

50 g de piments rouges séchés

2 gousses d'ail écrasées

½ cuillerée de sel de mer

4-5 cuillerées à soupe d'huile
d'olive vierge extra

1 Couvrez les piments d'eau bouillante et laissez-les tremper pendant 1 heure.

2 Égouttez les piments, essuyez-les au papier absorbant et mettez-les dans un moulin avec de l'ail et du sel. Incorporez l'huile et remuez jusqu'à obtention d'une sauce onctueuse.

3 Transférez l'harissa dans un bocal à couvercle vissant, couvrez la surface d'huile.

Pour 10 cl

avgolemono
grèce

Cette soupe au citron et à l'œuf se déguste partout en Grèce. Les œufs permettent d'épaissir la soupe une fois chaude, mais veillez à ce qu'elle ne soit pas en ébullition quand vous les incorporez, car vous risqueriez de la faire cailler.

1 Mettez le poulet, les carottes, l'oignon, le céleri, les feuilles de laurier, le poivre et l'eau dans une cocotte et portez lentement à ébullition, en écumant le liquide si nécessaire. Baissez la flamme et laissez frémir une trentaine de minutes.

2 Passez le bouillon dans une cocotte propre et découpez délicatement le poulet en morceaux de la taille d'une bouchée. Ajoutez le riz et laissez frémir jusqu'à cuisson.

3 Dans un bol, battez ensemble les jaunes d'œufs, le jus de citron et 2 cuillerées à soupe de bouillon puis incorporez cette sauce à la soupe tout en fouettant. Ajoutez les bouchées de poulet et le persil. Salez et poivrez, puis chauffez sans laisser bouillir. Servez très chaud.

Pour 4 personnes

2 quarts de poulet de 400 g chacun environ

2 carottes hachées

1 petit oignon émincé

1 branche de céleri

2 feuilles de laurier

6 grains de poivre blanc

1 l d'eau

50 g de riz long

2 jaunes d'œufs

3 cuillerées à soupe de jus de citron

4 cuillerées à soupe de persil haché

sel et poivre

gaspacho aux amandes
espagne

Le gaspacho est une soupe espagnole classique, à la tomate et aux légumes, qui se consomme froide. Il existe autant de recettes que de villes. J'apprécie particulièrement cette variante qui est épaissie par l'adjonction d'amandes, mais on peut également utiliser des miettes de pain frais ou rassis. Réservez quelques dés de légumes pour la garniture.

1 Mettez les tomates, l'oignon, l'ail, les poivrons, le concombre, les piments, les olives et les câpres dans un robot ménager et mixez jusqu'à obtention d'une purée onctueuse, puis ajoutez les amandes.

2 Transférez la soupe dans un saladier et incorporez le vinaigre, le sucre, le bouillon froid, le jus de tomates et l'huile d'olive. Couvrez et réfrigérez pendant au moins 1 heure, puis ajoutez les herbes aromatiques et remuez. Salez et poivrez à volonté ; servez garni de légumes et d'amandes effilées grillées.

Pour 6-8 personnes

1 kg de tomates en grappes mûres

1 petit oignon haché

4 gousses d'ail

2 poivrons, épépinés et hachés

½ concombre pelé et haché

2 piments rouges hachés

25 g d'olives vertes dénoyautées

1 cuill. à soupe de câpres au sel, rincées

50 g d'amandes en poudre grillées

3 cuill. à soupe de vinaigre rouge

1 cuillerée à soupe de sucre

50 cl de bouillon de légumes froid

15 cl de jus de tomates

15 cl d'huile d'olive vierge extra

2 cuill. à soupe de coriandre et de persil

sel et poivre

soupe aux pois chiches et à l'agneau

turquie

Cette soupe intensément épicée offre l'immense avantage d'être facile à préparer et à cuire. Il suffit de mettre tous les ingrédients dans un plat à gratin (traditionnellement en terre cuite) et de les laisser mijoter au four jusqu'à ce qu'ils soient fondants.

1 Égouttez les pois chiches et les haricots, rincez-les bien et égouttez-les à nouveau. Mettez-les dans deux casseroles séparées, couvrez d'eau froide et portez à ébullition. Laissez frémir pendant 1 heure, égouttez et réservez le liquide de cuisson.

2 Mettez les légumineuses dans un plat ou une cocotte en terre cuite, ajoutez tous les autres ingrédients et couvrez avec le liquide réservé, en ajoutant de l'eau si nécessaire.

3 Couvrez hermétiquement la cocotte ou le plat et enfournez pendant ½ heure à 180 °C/th. 4, jusqu'à ce que la viande et les légumes soient tendres.

4 Servez la soupe dans des écuelles et arrosez d'un filet d'huile d'olive ; accompagnez de pain croustillant.

Pour 6 personnes

50 g de pois chiches, mis à tremper la veille dans l'eau froide

50 g de haricots à œil noir (ou autres haricots secs), mis à tremper la veille dans l'eau froide

50 de boulgour ou de trahana

500 g de collier d'agneau, coupé en 4 morceaux

4 cuillerées à soupe d'huile d'olive

1 oignon haché

2 carottes hachées

400 g de tomates pelées en boîte, hachées

4 petits piments rouges

4 brins de thym

1 cuillerée à café de coriandre, de cumin et de cannelle en poudre

½ cuillerée à café de menthe et d'origan séchés

sel et poivre

Pour servir :

huile d'olive

pain croustillant

ragoût de la mer
espagne

On reconnaît souvent les plats espagnols à la présence d'amandes, de noix, de noisettes ou d'arachides servant à parfumer ou à épicer les sauces. Libre à vous d'utiliser d'autres variétés de fruits de mer selon votre goût ; vous pouvez par exemple remplacer le homard par des langoustines, ou la baudroie par du cabillaud.

1 Plongez les filaments de safran 10 minutes dans le fumet de poisson bouillant. Pendant ce temps, chauffez la moitié de l'huile dans une grande cocotte et faites dorer l'oignon, l'ail, le thym et les paillettes de piment (une dizaine de minutes). Ajoutez le xérès et faites bouillir à feu vif jusqu'à ce que le liquide réduise de moitié, puis ajoutez les tomates et le fumet de poisson parfumé au safran ; salez et poivrez. Portez à ébullition, couvrez et laissez frémir 20 minutes. Transférez 15 cl de fumet dans un saladier et réservez.

2 Préparez les fruits de mer. Retirez les têtes de homards, coupez les corps en deux dans la longueur et détachez les pattes. Détaillez la baudroie en dés et farinez. Lavez et retirez l'intestin des crevettes. Brossez les moules et les clams. Mettez tous les fruits de mer dans la cocotte et portez à ébullition en remuant bien. Couvrez et laissez mijoter une dizaine de minutes ou jusqu'à ce que les fruits de mer soient cuits.

3 Mélangez les amandes en poudre, le vinaigre, le reste d'huile et le fumet réservé puis incorporez cette sauce au ragoût ; chauffez 5 minutes pour épaissir le tout. Servez avec du pain croustillant et proposez des rince-doigts.

Pour 4-6 personnes

quelques filaments de safran

15 cl de fumet de poisson bouillant

4 cuillerées à soupe d'huile d'olive

1 oignon haché

2 gousses d'ail écrasées

1 cuillerée à soupe de thym haché

¼ de cuillerée à café de paillettes de piment séché

10 cl de xérès sec

400 g de tomates pelées en boîte

2 petits homards cuits de (500 g)

500 g de filet de baudroie

2 cuillerées à soupe de farine

12 grosses crevettes crues

500 g de moules fraîches

500 g de clams frais

50 g d'amandes grillées en poudre

1 cuill. à soupe de vinaigre de xérès

sel et poivre

pain croustillant, pour servir

bouillabaisse provençale

france

Cette recette de bouillabaisse servie avec de la rouille et des croûtons de pain grillé est ma préférée. Par tradition, en Provence, on met toujours des rascasses ou des girelles, du rouget et du grondin ; cependant, d'autres poissons goûteux comme le mulet, le maquereau sauront également donner un excellent parfum à la soupe.

1 Détaillez les poissons en gros morceaux, sans oublier les têtes. Chauffez la moitié de l'huile dans une sauteuse et faites rissoler le poisson et les crevettes, en plusieurs fois, pendant 5-8 minutes. Retirez avec une écumoire et transférez dans une grande cocotte.

2 Versez le reste d'huile dans la sauteuse et faites revenir les oignons, l'ail, le fenouil, le thym et le piment de Cayenne pendant 10 minutes, jusqu'à ce que les oignons soient fondants. Ajoutez l'eau-de-vie et portez à ébullition à feu vif jusqu'à ce que le liquide ait réduit de moitié.

3 Transférez le contenu de la sauteuse dans la cocotte et incorporez les tomates, la purée de tomates, les filaments de safran et l'eau froide. Portez à ébullition, écumez, couvrez et laissez mijoter 30 minutes. Retirez la cocotte du feu, laissez refroidir 30 minutes.

4 Pendant ce temps, préparez la rouille. Dans un robot ménager, mixez ensemble l'ail, le piment, le sel et le jaune d'œuf jusqu'à obtention d'une sauce pâle puis, sans arrêter l'appareil, versez l'huile en filet continu jusqu'à obtention d'une sauce épaisse et brillante. Ajoutez 1 cuillerée à soupe de fumet de poisson, mixez à nouveau et vérifiez l'assaisonnement. Transférez dans un bol et couvrez de film étirable.

5 Écrasez le poisson de façon à obtenir une purée assez homogène. Passez celle-ci au chinois, dans une cocotte propre, en pressant fortement pour extraire tout le jus. Chauffez à nouveau la soupe et laissez frémir 15 minutes pour la faire légèrement réduire.

6 Servez la bouillabaisse dans des écuelles chaudes, en garnissant d'une tranche de pain grillé tartinée de rouille et de parmesan râpé.

Pour 6 personnes

1,2 kg de poissons mélangés

250 g d'anguille de mer

250 g de crevettes crues

4 cuillerées à soupe d'huile d'olive

2 oignons hachés

2 gousses d'ail écrasées

1 bulbe de fenouil coupé en dés

1 cuillerée à soupe de thym haché

1 cuill. à café de piment de Cayenne

5 cl d'eau-de-vie

800 g de tomates pelées en dés

2 cuillerées à soupe de purée de tomates séchées

une pincée de filaments de safran

1,5 l d'eau froide

Rouille :

1 gousse d'ail écrasée

1 piment rouge séché haché

une bonne pincée de sel

1 jaune d'œuf

15 cl d'huile d'olive vierge extra française

Pour servir :

tranches de pain grillé

parmesan fraîchement râpé

ragoût de clams aux pommes de terre et aux haricots secs

espagne

2 cuillerées à soupe d'huile d'olive

125 g de pancetta coupée en dés

1 oignon haché

400 g de pommes de terre coupées en dés

1 poireau émincé

2 gousses d'ail écrasées

1 cuillerée à soupe de romarin haché

2 feuilles de laurier

400 g de haricots secs, égouttés

1 l de petits clams ou de moules, brossés

sel et poivre

pain croustillant, pour servir

Huile à l'ail et au persil :

15 cl d'huile d'olive vierge extra

2 grosses gousses d'ail émincées

une bonne pincée de sel

1 grosse cuillerée à soupe de persil haché

Cette soupe est d'origine espagnole mais je l'ai découverte dans un restaurant de Palma de Majorque. Je me suis jurée de la préparer de mémoire une fois rentrée chez moi. Voilà mon interprétation.

1 Chauffez l'huile dans une grande cocotte et faites revenir la pancetta pendant 5 minutes. Retirez-la avec une écumoire. Ajoutez l'oignon, les pommes de terre, le poireau, l'ail, le romarin et les feuilles de laurier ; faites rissoler à feu doux une dizaine de minutes, ajoutez les haricots et le bouillon, portez à ébullition et laissez frémir pendant 20 minutes, jusqu'à ce que les légumes soient fondants.

2 Préparez l'huile aromatisée à l'ail et au persil. Chauffez l'huile avec l'ail et le sel dans une petite sauteuse et faites revenir 3 minutes à feu doux. Laissez refroidir puis incorporez le persil. Réservez.

3 Transférez la moitié de la soupe dans un robot ménager, mixez jusqu'à obtention d'un mélange onctueux puis versez celui-ci dans la cocotte ; salez et poivrez. Incorporez les clams ou les moules à la soupe ainsi que la pancetta. Laissez mijoter 5 minutes environ, jusqu'à ce que les coquillages s'ouvrent (jetez ceux qui restent fermés). Servez la soupe dans des écuelles et assaisonnez d'un filet d'huile aromatisée. Accompagnez de pain croustillant.

Pour 6 personnes

salades et légumes

L'alimentation méditerranéenne se caractérise par une abondance de légumes frais. Savamment associés et assaisonnés d'huile d'olive, d'ail, d'herbes et d'épices, ils composent une gamme de plats alléchants et savoureux. Les artichauts, les aubergines et les champignons voient leur saveur rehaussée par des herbes aromatiques et des épices; la salade verte est combinée à des fruits sucrés et à des sauces vigoureuses, les tomates rôtissent pendant plusieurs heures pour développer le meilleur de leur arôme. La sélection de plats présentée dans les pages suivantes donne un aperçu de la manière dont les légumes sont cuisinés en Méditerranée.

salade fatoush au haloumi

égypte/grèce

Voici une salade d'inspiration gréco-égyptienne composée d'un assortiment de légumes coupés en dés, assaisonnée de sauce au citron et garnie de halloumi, un fromage de brebis turc. Servez ce plat en entrée ou en guise de déjeuner léger.

1 Mélangez les poivrons, le concombre, les tomates, l'oignon, l'ail et les herbes dans un grand saladier. Fouettez ensemble les ingrédients de la sauce, versez celle-ci sur la salade de légumes et remuez bien.

2 Faites griller les pitas, coupez-les en petits morceaux et ajoutez ceux-ci à la salade. Remuez bien et laissez reposer 20 minutes.

3 Chauffez l'huile dans une sauteuse et faites frire les tranches de haloumi 2-3 minutes de chaque côté, jusqu'à ce qu'elles soient dorées et fondantes. Servez-les avec la salade.

Pour 4 personnes

2 poivrons verts épépinés
et coupés en dés

½ concombre coupé en dés

4 tomates mûres coupées en dés

1 oignon rouge finement haché

2 gousses d'ail écrasées

2 cuillerées à soupe de persil haché

1 cuillerée à soupe de menthe
et de coriandre hachées

2 pitas (petits pains grecs)

4 cuillerées à soupe d'huile d'olive

125 g de halloumi émincé

Sauce au citron :

6 cuillerées à soupe d'huile d'olive
vierge extra

1-2 cuillerées à soupe de jus
de citron

1 cuillerée à soupe d'eau

une bonne pincée de sucre

sel et poivre

salade de haricots verts et de pommes de terre

espagne

L'arôme du vinaigre de xérès donne une identité spécifique à cette salade. Achetez un vinaigre de bonne qualité dans une épicerie espagnole, car certaines marques bon marché n'ont pas toujours un très bon goût.

1 Portez à ébullition une grande casserole d'eau salée, ajoutez les pommes de terre et faites-les cuire 8 minutes, puis ajoutez les haricots verts et poursuivez la cuisson 4-5 minutes ; les légumes doivent être fondants. Égouttez-les et rafraîchissez-les en les rinçant à l'eau froide. Essuyez-les avec du papier absorbant.

2 Mélangez les haricots, les pommes de terre et l'oignon dans un grand saladier. Battez ensemble tous les ingrédients de la sauce et assaisonnez les légumes. Garnissez de jambon cru, de persil et d'œuf haché. Servez aussitôt.

Pour 4 personnes

500 g de pommes de terre nouvelles

500 g de haricots verts

1 oignon blanc émincé

4 tranches de jambon serrano (jambon cru espagnol)

Sauce :

6 cuillerées à soupe d'huile d'olive vierge extra

2-3 cuillerées à café de vinaigre de xérès

1 gousse d'ail émincée

½ cuillerée à café de cumin en poudre

une pincée de sucre

sel et poivre

Pour garnir :

2 cuillerées à soupe de persil haché

2 œufs durs hachés

pommes de terre
aux épices

tunisie

Voilà une succulente manière de cuisiner les pommes de terre ; elles sont tout d'abord rissolées à feu doux avec des oignons et des épices puis braisées dans le bouillon de volaille dont elles absorbent les arômes en cours de cuisson. Il ne sera probablement pas nécessaire de saler ce plat, car le bouillon devient plus salé à mesure qu'il réduit. Ces pommes de terre accompagnent à merveille le poulet ou l'agneau rôti.

1 Coupez les grosses pommes de terre en deux. Chauffez l'huile dans une sauteuse, faites revenir l'oignon et l'ail pendant 5 minutes, puis ajoutez les épices et les pommes de terre. Mélangez bien, couvrez et laissez rissoler 5 minutes.

2 Ajoutez le bouillon et portez à ébullition. Couvrez partiellement la sauteuse et laissez cuire à feu doux pendant 30 minutes, jusqu'à ce que les pommes de terre soient fondantes et que le liquide soit sirupeux. Servez immédiatement.

Pour 4 personnes

500 g de pommes de terre nouvelles

2 cuillerées à soupe d'huile d'olive

1 petit oignon finement haché

1 gousse d'ail écrasée

1 cuillerée à café de curcuma en poudre

une pincée de filaments de safran

½ cuillerée à café de cumin et de coriandre en poudre

30 cl de bouillon de volaille (voir page 139)

tomates rôties au four

italie

Dans cette recette, les tomates rôtissent pendant plusieurs heures au four sur un lit de gros sel ; elles perdent leur eau, se ratatinent, se caramélisent et prennent une saveur vraiment délicieuse. On peut les utiliser de diverses manières, pour garnir des crostinis, accompagner une salade ou un légume. Elles s'associent particulièrement bien avec le gigot d'agneau à l'ail de la page 84.

1 Étalez le sel au fond d'un plat à gratin assez grand pour contenir les demi-tomates. Disposez les tomates, côté coupé dessus, sur le sel, puis garnissez d'herbes et de poivre.

2 Placez le plat pendant 20 minutes dans un four préchauffé à 230 °C/th. 8 puis réduisez la température à 150 °C/th. 2 et poursuivez la cuisson pendant 1 ½ heure, jusqu'à ce que les tomates soient ratatinées. Laissez refroidir et servez assaisonné d'huile d'olive.

Pour 4 personnes

125-200 g de sel de mer

6 tomates grappes bien mûres, coupées en deux

brins de thym, d'origan et de romarin

poivre

huile d'olive vierge extra

artichauts
à la provençale

france

Si vous avez toujours évité de cuisiner des artichauts parce que vous trouviez cela trop compliqué, lisez cette recette et vous changerez d'avis. Ce plat est aussi rapide que facile à préparer, et les artichauts ont un goût divin.

1 Remplissez un grand saladier d'eau froide et ajoutez le jus d'un demi-citron. Coupez une grande partie de la tige des artichauts, retirez les feuilles les plus coriaces à la base et coupez le haut sur 3 cm environ. Frottez les artichauts avec l'autre demi-citron et mettez-les dans le saladier d'eau citronnée.

2 Plongez les artichauts dans une grande cocotte d'eau bouillante salée, couvrez et laissez frémir une vingtaine de minutes, jusqu'à ce qu'ils soient tendres. Transférez-les sur du papier absorbant, en les retournant pour éliminer le surplus d'eau ; laissez refroidir.

3 Pendant ce temps, chauffez 2 cuillerées à soupe d'huile dans une sauteuse et faites revenir l'ail, les échalotes et le thym à feu doux pendant 5 minutes. Ajoutez la pancetta, faites-la dorer puis ajoutez la tomate et le basilic. Retirez du feu.

4 Coupez les artichauts en deux, retirez le foin et disposez-les dans un grand plat à gratin, côté coupé dessus. Garnissez chaque moitié de mélange à la tomate, arrosez d'un filet d'huile et du jus d'un demi-citron. Salez et poivrez à volonté. Ajoutez le vin, couvrez et glissez le plat dans un four préchauffé à 180 °C /th. 4 pendant 30 minutes environ.

5 Servez ce plat chaud ou tiède, garnissez de feuilles de basilic, arrosez d'huile d'olive et de jus de citron et parsemez de copeaux de parmesan.

Pour 4 personnes

2 citrons coupés en deux

4 gros artichauts

8 cuillerées à soupe d'huile d'olive vierge extra

2 gousses d'ail

2 échalotes, finement hachées

1 cuillerée à café de thym haché

50 g de pancetta fumée, coupée en dés

1 grosse tomate bien mûre, pelée et coupée en dés

1 cuillerée à soupe de basilic haché

2 cuillerées à soupe de vin blanc sec

sel et poivre

copeaux de parmesan, pour servir

feuilles de basilic, pour garnir

mesclun aux foies de volaille

france

25 g de beurre

1 échalote finement hachée

400 g de foies de poulet nettoyés
et coupés en deux

quelques feuilles de marjolaine
détaillées en lanières

3 cuillerées à soupe d'eau-de-vie

200 g de salade mélangée

2 cuillerées à soupe d'herbes
dont de la ciboulette, de l'estragon
et du persil

2-3 cuillerées à soupe
de vinaigrette (voir page 138)

sel et poivre

Le mesclun est un mélange de feuilles de jeunes salades cultivées dans la région niçoise. Il comprend souvent de la roquette, de la mâche et du pissenlit, mais vous pouvez combiner plusieurs autres variétés de salades pour réaliser cette recette. Servez cette salade avec une simple vinaigrette ou bien avec des foies de volaille sautés.

1 Faites fondre le beurre dans une petite sauteuse, ajoutez l'échalote et faites-la fondre 5 minutes. Augmentez la flamme et faites revenir les foies 1-2 minutes de chaque côté, jusqu'à ce qu'ils soient dorés. Ajoutez la marjolaine et l'eau-de-vie et portez à ébullition à feu vif jusqu'à évaporation du liquide. Retirez du feu et laissez refroidir.

2 Mélangez le mesclun et les herbes avec 2-3 cuillerées à soupe de vinaigrette ; dressez la salade et les foies sur des assiettes, salez et poivrez puis servez aussitôt.

Pour 4 personnes

200 g de boulgour

1 oignon rouge finement haché

2 tomates en grappes bien mûres
finement hachées

½ concombre coupé en dés

1 gousse d'ail écrasée

1 petit piment rouge épépiné
et finement haché

4 cuillerées à soupe de persil haché

2 cuillerées à soupe de menthe
et de coriandre hachées

jus d'un demi-citron

6 cuillerées à soupe d'huile d'olive
vierge extra

sel et poivre

salade de boulgour

turquie

Cette salade turque fait souvent partie d'un assortiment de mezze. Pour ma part, je la sers en accompagnement d'un plat de viande froide et d'autres salades.

1 Mettez le boulgour dans un saladier et couvrez d'eau bouillante. Laissez tremper une trentaine de minutes puis égouttez.

2 Incorporez le reste des ingrédients au boulgour, salez et poivrez. Couvrez et laissez reposer 30 minutes pour que les saveurs se développent.

Pour 4-6 personnes

salade de carottes

maroc

Une salade sucrée-salée qui offre les saveurs typiques des cuisines nord-africaines. L'eau de fleur d'oranger renforce le caractère exotique de ce plat.

1 Avec un économe, détaillez les carottes en rubans et mettez-les dans un grand saladier. Pelez et découpez les oranges en quartiers au-dessus d'un bol pour recueillir le jus. Ajoutez les quartiers d'orange, les olives et les feuilles de persil aux carottes et mélangez.

2 Ajoutez les ingrédients de la sauce au jus d'orange et battez. Goûtez, vérifiez l'assaisonnement, incorporez la sauce à la salade, remuez et servez immédiatement.

Pour 4 personnes

4 grosses carottes

2 oranges

125 g d'olives noires, dénoyautées et hachées

50 g de persil plat

Sauce :

2 gousses d'ail écrasées

jus d'un demi-citron

1 cuillerée à café de miel liquide

1 cuillerée à soupe d'eau de fleur d'oranger (facultatif)

une pincée de cannelle, de cumin et de coriandre

8 cuillerées à soupe d'huile d'olive vierge extra

sel et poivre

courge au mascarpone
et à la sauge

italie

**2 petites courges poivrées de 500 g
chacune environ**

2 cuillerées à soupe d'huile d'olive

**125 g de pancetta fumée, coupée
en dés**

2 gousses d'ail écrasées

**2 cuillerées à soupe de sauge
hachée**

200 g de mascarpone

**4 tomates séchées à l'huile,
égouttées et hachées**

**2 cuillerées à soupe de parmesan
fraîchement râpé**

sel et poivre

Pour servir :

pain grillé

salade verte

*La courge poivrée ou courge-gland, à la peau vert foncé, est un légume parfait pour ce plat,
car une seule suffit à sustenter deux personnes. Cette recette n'est pas purement italienne
mais elle offre nombre des saveurs typiques de la gastronomie transalpine.*

1 Coupez la courge en deux dans la longueur et retirez les graines. Salez et poivrez
chaque moitié et mettez-les, côté coupé dessus, dans un plat à gratin. Arrosez d'huile
d'olive et faites-les cuire au four préchauffé à 200 °C/th. 6 pendant 45 minutes.

2 Faites revenir la pancetta à sec pendant 5 minutes environ, jusqu'à ce qu'elle ait rendu
son gras. Réduisez la flamme, ajoutez le reste d'huile, faites revenir l'ail et la sauge à feu
doux pendant 4-5 minutes environ.

3 Retirez les moitiés de courge du four et farcissez-les de mélange au lard. Garnissez
de mascarpone et parsemez de morceaux de tomates séchées et de parmesan.
Enfournez à nouveau pendant 15-20 minutes jusqu'à ce que le fromage gratine.
Servez avec du pain grillé et une salade verte croquante.

Pour 4 personnes

parmigiano d'aubergines
italie

800 g de tomates pelées en boîte, hachées

2 gousses d'ail écrasées

1 cuillerée à café de sucre

2 cuillerées à soupe de basilic haché

6 cuillerées à soupe d'huile d'olive

3 aubergines

250 g de mozzarella râpée

50 g de parmesan fraîchement râpé

sel et poivre

Grand classique de la cuisine italienne, ce succulent gratin est composé d'aubergines grillées, de sauce tomate, de mozzarella et de parmesan râpés. Il accompagnera volontiers l'agneau et le poulet grillés, ou bien des pâtes pour un repas végétarien.

1 Mettez les tomates, l'ail, le sucre, le basilic, 2 cuillerées à soupe d'huile, du sel et du poivre dans une cocotte; portez à ébullition, couvrez et laissez frémir une quinzaine de minutes puis ôtez le couvercle et laissez mijoter 15 minutes supplémentaires, jusqu'à ce que la sauce ait quelque peu épaissi.

2 Pendant ce temps, émincez les aubergines dans la longueur. Badigeonnez les tranches d'huile, salez et poivrez, puis faites griller 3-4 minutes de chaque côté, jusqu'à ce qu'elles soient moelleuses et dorées.

3 Versez un quart de la sauce tomate dans un plat à gratin et ajoutez un tiers des aubergines et un tiers des deux fromages. Procédez plusieurs fois de la même manière et terminez par la sauce tomate et les fromages. Glissez le plat dans un four préchauffé à 200 °C/th. 6 pendant 35-40 minutes, jusqu'à ce que le dessus soit bien gratiné.

Pour 4 personnes

salade de verdure
à l'huile citronnée
grèce

1 kg de feuilles de légumes verts et de salades variées (voir ci-contre)

4 cuillerées à soupe d'huile d'olive

1 gousse d'ail, écrasée

jus d'un demi-citron

sel et poivre

Pour 4 personnes

En Grèce et dans d'autres pays de la Méditerranée orientale, on ramasse les légumes verts feuillus à l'état sauvage dans les champs pour confectionner des tourtes, des salades et des plats de légumes. J'ai utilisé un assortiment de feuilles – épinards, roquette et blettes.

1 Lavez bien toutes les feuilles, jetez les tiges épaisses des épinards et des blettes. Transférez les feuilles encore mouillées dans une grande sauteuse. Chauffez à feu doux en remuant jusqu'à ce que les feuilles soient flétries.

2 Égouttez les feuilles, remettez-les dans la sauteuse et incorporez l'huile, l'ail et le jus de citron. Salez et poivrez à volonté. Chauffez à feu doux pendant 2-3 minutes, jusqu'à ce que les feuilles soient fondantes. Servez immédiatement.

cèpes à la gremolata

italie

Je n'oublierai jamais le plat de cèpes au four que j'ai dégusté un jour dans une trattoria de Rome. Il m'avait alors semblé que rien ne pourrait surpasser ce mets d'une extrême simplicité et composé des tout meilleurs ingrédients. Tous les champignons peuvent se cuisiner ainsi. La gremolata est une garniture italienne faite d'ail, de persil et de zeste de citron.

1 Coupez les cèpes en tranches de ½ cm d'épaisseur et disposez-les au fond d'un grand plat à gratin. Arrosez d'huile d'olive, salez et poivrez. Transférez dans un four préchauffé à 200 °C/th. 6 et laissez cuire 10-15 minutes.

2 Pour préparer la gremolata, mélangez l'ail, le zeste de citron et le persil.

3 Transférez les cèpes dans un plat de service, parsemez de gremolata, arrosez de jus de citron et d'huile d'olive ; servez aussitôt.

Pour 4 personnes

500 g de cèpes

6-8 cuillerées à soupe d'huile d'olive vierge extra

2 gousses d'ail hachées

zeste râpé et jus d'un demi-citron

2 cuillerées à soupe de persil haché

sel et poivre

courgettes aigres-douces

espagne

Les mets aigres-doux sont cuisinés et très appréciés sur tout le pourtour méditerranéen.

1 Chauffez l'huile dans une sauteuse et faites dorer les courgettes à feu vif pendant 3-4 minutes. Réduisez la flamme, ajoutez l'ail, le piment et une bonne pincée de sel. Poursuivez la cuisson 2-3 minutes, jusqu'à ce que l'ail soit fondant.

2 Ajoutez les raisins secs, les câpres, le vinaigre, le sucre, les noisettes, l'eau et le poivre puis couvrez et laissez frémir 5 minutes.

3 Goûtez pour vérifier l'assaisonnement, garnissez de persil haché et servez très chaud.

Pour 4 personnes

3 cuillerées à soupe d'huile d'olive

500 g de courgettes coupées en dés

1 gousse d'ail écrasée

1 piment rouge épépiné et finement haché

2 cuillerées à soupe de raisins secs

2 cuillerées à soupe de câpres au sel, rincées

1 cuillerée à soupe de xérès ou de vinaigre balsamique

1 cuillerée à café de sucre

2 cuillerées à soupe de noisettes ou d'amandes mondées, grillées et hachées

2 cuillerées à soupe d'eau

sel et poivre

persil haché, pour garnir

poissons et fruits de mer

Où que vous alliez sur la côte méditerranéenne, vous serez séduit par les senteurs alléchantes des mets de fruits de mer et de poisson servis dans les restaurants et les gargotes du bord de mer. Le poisson est souvent grillé au four ou au barbecue et assaisonné d'huile aromatisée. Les sauces aux légumes, comme la salsa rossa italienne (voir page 136) accompagnent à merveille les calmars ou les sardines grillés. Servez-vous chez un bon poissonnier. Le poisson doit sentir la mer, être ferme et luisant; il est préférable de le consommer le jour même.

merlu aux poivrons

espagne

4 cuillerées à soupe d'huile d'olive

4 petits poivrons rouges, épépinés
et grossièrement émincés

4 gousses d'ail pelées

2 brins de thym

une pincée de paprika fort

8 cl de xérès sec

4 pommes de terre

4-8 darnes de merlu, selon la taille
du poisson (voir ci-contre)

2 feuilles de laurier

sel et poivre

Pour servir :

pain croustillant

aïoli (voir page 134)

Le merlu est apprécié dans tous les pays de la Méditerranée ; les Espagnols et les Portugais en sont particulièrement friands. Cette recette est inspirée d'un plat espagnol pour lequel le poisson, cuit au four avec des pommes de terre et des poivrons, est servi avec de l'aïoli. Comptez environ 200 g de poisson par personne.

1 Chauffez l'huile dans une cocotte, ajoutez les poivrons, l'ail, les brins de thym et le paprika et faites revenir le tout 15-20 minutes à feu doux, en remuant fréquemment. Ajoutez le xérès et portez rapidement à ébullition jusqu'à ce que le liquide ait réduit de moitié.

2 Pendant ce temps, faites cuire les pommes de terre à l'étuvée pendant 10-12 minutes. Rincez-les à l'eau froide pour les rafraîchir et coupez-les en dés.

3 Incorporez les pommes de terre à la préparation aux poivrons, salez et poivrez. Assaisonnez les darnes de merlu et disposez-les sur le lit de légumes en pressant légèrement. Ajoutez les feuilles de laurier et 4 cuillerées à soupe d'eau, couvrez et laissez mijoter 15-20 minutes selon l'épaisseur du poisson. Laissez reposer quelques minutes avant de servir avec du pain croustillant et de l'aïoli.

Pour 4 personnes

baudroie au raito

france

Le raito est une sauce provençale à la tomate et au vin rouge, habituellement servie avec du poisson blanc. Cette sauce, épaissie avec des noix, aurait été introduite en Provence par des marchands phéniciens. Traditionnellement, on la sert à Noël.

4 filets de baudroie de 250 g

4 tranches de jambon de Bayonne

2 cuillerées à soupe d'huile d'olive

sel et poivre

Raito :

4 cuillerées à soupe d'huile d'olive

1 oignon finement haché

2 gousses d'ail écrasées

2 cuill. à café de graines de fenouil

500 g de tomates grappes mûres

30 cl de vin rouge

15 cl d'eau bouillante

1 cuill. à soupe de purée de tomates

1 cuillerée à café de sucre

2 brins de thym

2 brins de romarin

2 feuilles de laurier

25 g de noix décortiquées, grillées

4 tomates séchées à l'huile hachées

2 cuill. à soupe de câpres au sel

12 olives niçoises

1 Commencez par préparer le raito. Chauffez l'huile dans une sauteuse, faites revenir l'oignon, l'ail et les graines de fenouil pendant 5 minutes, puis ajoutez les tomates et poursuivez la cuisson 5 minutes. Incorporez le vin et faites bouillir le tout 5 minutes à feu vif afin que la sauce réduise légèrement.

2 Ajoutez l'eau, la purée de tomates, le sucre, le thym, le romarin, les feuilles de laurier et les noix, portez à ébullition puis laissez frémir pendant 1 heure. Retirez les herbes et les feuilles de laurier avant de mixer la sauce dans un robot ménager jusqu'à obtention d'un mélange onctueux. Transférez à nouveau dans la sauteuse et incorporez les morceaux de tomates séchées, les câpres, les olives, le sel et le poivre. Réchauffez à feu doux et réservez au chaud.

3 Salez et poivrez les filets de baudroie puis enveloppez-les d'une tranche de jambon ; maintenez en place avec un cure-dents en bois. Chauffez l'huile dans une sauteuse, ajoutez le poisson et faites-le cuire pendant 6-8 minutes, en le tournant fréquemment, jusqu'à ce qu'il soit uniformément doré. Enveloppez le poisson dans du papier d'aluminium et laissez-le reposer 5 minutes.

4 Détaillez le poisson en tranches épaisses et servez avec le raito.

Pour 4 personnes

thon au muhammara

maroc

Le muhammara est une sauce aux noix nord-africaine comparable au tarator turc. La version nord-africaine comprend du sirop de grenade aigre-doux qui ajoute une note exotique unique en son genre.

1 Lavez et essuyez le thon et, avec les brins de thym, frottez-le d'huile, puis salez et poivrez. Réservez.

2 Pour préparer le muhammara, mettez les noix, les miettes de pain, l'ail, le jus de citron et le sirop de grenade dans un robot ménager, salez et poivrez puis mixez jusqu'à obtention d'une purée grossière. Ajoutez l'huile petit à petit jusqu'à obtention d'une sauce homogène ; au besoin, incorporez un peu d'eau bouillante pour la fluidifier (sa consistance doit ressembler à celle de l'hoummos). Goûtez pour vérifier l'assaisonnement. Transférez la sauce dans un bol, couvrez de film étirable et laissez reposer une trentaine de minutes.

3 Chauffez un gril en fonte pendant environ 3 minutes, puis ajoutez les darnes de thon et faites-les griller 1 minute de chaque côté, un peu plus longtemps si elles sont épaisses. Dressez-les sur un plat de service, couvrez de papier d'aluminium et laissez reposer 3-4 minutes. Servez avec le muhammara et une salade de roquette.

Pour 4 personnes

4 darnes de thon de 75 g chacune

une poignée de thym

huile d'olive vierge extra

sel et poivre

roquette, pour servir

Muhammara :

50 g de noix

25 g de miettes de pain frais

2 gousses d'ail, écrasées

1 cuillerée à soupe de jus de citron

2 cuillerées à café de sirop de grenade

8 cl d'huile d'olive vierge extra

1-2 cuillerées à soupe d'eau bouillante

sel et poivre

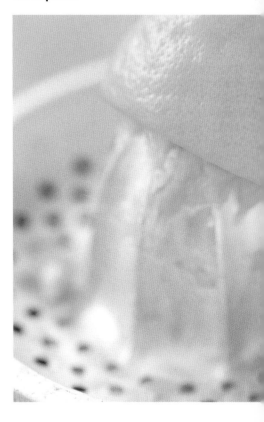

rouget aux feuilles de vigne

grèce

6 cuillerées à soupe d'huile d'olive

2 cuillerées à soupe de jus
de citron

2 cuillerées à soupe d'aneth haché

2 brins de ciboule hachés

1 cuillerée à café de moutarde

8 feuilles de vigne dans la saumure,
rincées et égouttées

4 rougets, écaillés et vidés

4 feuilles de laurier

4 brins d'aneth

sel et poivre

salade de tomates aux olives,
pour servir (facultatif)

Pour garnir :

quartiers de citron

brins d'aneth

*Les feuilles de vigne entrent souvent dans la composition des plats méditerranéens,
surtout en Grèce et en Turquie où elles sont utilisées depuis des siècles, bien avant l'arrivée
des citrons, pour donner une touche d'acidité. Ici, elles sont enroulées autour des rougets
pour parfumer le poisson et l'empêcher de sécher au cours de la cuisson.*

1 Faites tremper pendant 10 minutes dans de l'eau froide quatre morceaux de fil
de cuisine de 30 cm de long.

2 Dans un saladier, mélangez l'huile, le jus de citron, l'aneth haché, la ciboule,
la moutarde, le sel et le poivre. Lavez et essuyez les feuilles de vigne puis disposez-les
par paires de façon qu'elles se chevauchent légèrement.

3 Pratiquez plusieurs incisions dans les flancs des poissons avant de les badigeonner
du mélange huile-citron. Garnissez l'intérieur d'une feuille de laurier et d'un brin d'aneth
et enveloppez chaque poisson dans deux feuilles de vigne. Badigeonnez d'huile et ficelez
avec du fil mouillé pour maintenir les feuilles en place.

4 Faites cuire les poissons sur un gril en fonte, ou au barbecue, 4-5 minutes de chaque
côté en les huilant à nouveau si nécessaire. Laissez reposer quelques minutes puis
retirez les feuilles de vigne et arrosez les poissons du reste d'huile citronnée. Garnissez
de quartiers de citron et de brins d'aneth puis servez avec une salade de tomates
aux olives, si vous le souhaitez.

Pour 4 personnes

brochettes de saint-jacques et de baudroie, sauce au fenouil

italie

Les brochettes de viande et de poisson (spiedini) sont répandues dans toute l'Italie, surtout en été, lorsque les Italiens font leur cuisine au barbecue. L'été dernier, au sud de Florence, j'ai assisté à une fête populaire et savouré ces succulentes brochettes de fruits de mer.

4 tiges de fenouil ou d'origan séché de 20 cm de long environ

500 g de filets de baudroie

8 grosses coquilles Saint-Jacques

2 cuillerées à soupe d'huile d'olive

1 gousse d'ail écrasée

sel et poivre

Sauce au fenouil :

3 cuillerées à soupe de fenouil haché ou de feuilles d'aneth

une pincée de paillettes de piment séché

2 cuillerées à café de jus de citron

6-8 cuillerées à soupe d'huile d'olive

1 bulbe de fenouil

sel et poivre

1 Dénudez les tiges d'origan et de fenouil et faites-les tremper dans l'eau froide pendant une trentaine de minutes au moins.

2 Détaillez la baudroie en 12 gros morceaux de grosseur à peu près égale et mettez-les dans un plat en terre cuite. Coupez le muscle dur de chaque coquille Saint-Jacques, retirez les intestins. Rincez, essuyez et mettez les coquillages avec la baudroie.

3 Ajoutez de l'huile d'olive, de l'ail et du poivre et laissez mariner une trentaine de minutes. Enfilez les morceaux de poisson et de coquillage sur les tiges de fenouil ou d'origan.

4 Préparez la sauce au fenouil. Mélangez les frondes de fenouil ou d'aneth, les paillettes de piment, le jus de citron et l'huile, salez et poivrez à volonté, couvrez et réservez un moment pour laisser les arômes s'exhaler. Juste avant de servir, émincez le bulbe de fenouil et mélangez-le à la sauce.

5 Salez les brochettes et faites-les griller sur un barbecue ou un gril en fonte, 5-6 minutes environ, en les tournant à mi-cuisson et en les badigeonnant de marinade.

6 Servez ces brochettes très chaudes, accompagnées de sauce au fenouil et de pain pour éponger le jus.

Pour 4 personnes

ragoût provençal à la tomate et au safran

france

Les arômes de safran, d'orange et de Pernod évoquent tellement la Provence que j'ai l'impression d'y être chaque fois que je cuisine ce ragoût. C'est un de mes plats favoris, qui offre l'avantage de pouvoir se préparer à l'avance.

1 Décortiquez et nettoyez les crevettes, en réservant les têtes et les carapaces. Rincez les crevettes puis essuyez-les sur du papier absorbant.

2 Chauffez 2 cuillerées à soupe d'huile dans une sauteuse, ajoutez les têtes et les carapaces des crevettes et faites-les revenir 10 minutes à feu doux. Retirez-les avec une écumoire et jetez-les. Ajoutez le reste d'huile puis faites revenir l'oignon, l'ail, les graines de fenouil, le thym et le zeste d'orange pendant une dizaine de minutes.

3 Ajoutez les tomates, le fumet, le safran, le Pernod, salez et poivrez. Portez à ébullition, couvrez et laissez frémir 30 minutes. Retirez le couvercle et poursuivez la cuisson 15 minutes afin que le ragoût épaississe quelque peu.

4 Découpez chaque rouget en 4-5 morceaux et le thon en morceaux d'égale grosseur. Incorporez le poisson au ragoût, avec les crevettes, le persil et les anchois. Couvrez et laissez mijoter 5-10 minutes, jusqu'à ce que le poisson et les crevettes soient cuits. Servez avec un plat de pâtes.

Pour 6 personnes

12 grosses crevettes

3 cuillerées à soupe d'huile d'olive

1 oignon finement haché

2 gousses d'ail écrasées

1 cuill. à café de graines de fenouil

2 cuillerées à café de thym haché

zeste râpé d'une demi-orange

400 g de tomates pelées en boîte, hachées

30 cl de fumet de poisson (voir page 139)

une pincée de filaments de safran

4 cuillerées à soupe de Pernod (ou autre pastis)

3 rougets, écaillés et vidés

400 g de darnes de thon

2 cuillerées à soupe de persil haché

2 anchois au sel, rincés et hachés

sel et poivre

nouilles, pour servir

calmars farcis à la salsa rossa

italie

8 petits calamars de 12 cm de long,
nettoyés

4 cuillerées à soupe d'huile d'olive

50 g de pancetta fumée coupée
en dés

1 oignon haché

2 gousses d'ail écrasées

2 cuillerées à café de thym haché

50 g de tomates séchées à l'huile,
égouttées et hachées

75 g de chapelure fraîche

2 cuillerées à soupe de basilic
haché

jus d'un demi-citron

2 cuillerées à soupe d'eau

sel et poivre

salsa rossa (voir page 136)

salade verte, pour servir

Une fois nettoyés, les calmars se prêtent bien à ce type de recette qui permet à la farce de conserver son moelleux durant la cuisson. Vous pouvez remplacer la pancetta par 4 filets d'anchois hachés. Je sers également de la sauce romesco (page 134) ou du pesto (page 138), car ces deux sauces se marient bien avec le calmar.

1 Jetez le «bec» des calmars, retirez les tentacules et hachez-les finement. Chauffez la moitié de l'huile dans une sauteuse et faites revenir la pancetta pendant 5 minutes – elle doit être croustillante et dorée. Retirez avec une écumoire et réservez.

2 Ajoutez l'oignon, l'ail, le thym, les morceaux de tentacules et de tomates à l'huile et faites revenir le tout à feu doux pendant 5 minutes. Transférez dans un robot ménager et mixez grossièrement en pressant le bouton brièvement mais à plusieurs reprises. Incorporez la chapelure, le basilic et le jus de citron, salez et poivrez à volonté. Laissez refroidir complètement.

3 Garnissez les calmars de ce mélange et fermez-les avec des piques à cocktail. Mettez les calmars farcis dans un plat à feu, ajoutez le reste d'huile et l'eau puis glissez le plat dans un four préchauffé à 230 °C/th. 8 pendant 20 minutes.

4 Pendant ce temps, préparez la salsa rossa. Servez les calmars farcis très chauds, accompagnés de sauce et de salade verte craquante.

Pour 4 personnes

gambas à la plancha

espagne

En Espagne, les crevettes et les calmars sont souvent cuits très simplement sur un gril en fonte plat, «a la plancha». Je garde encore en mémoire les odeurs exquises qui s'échappent des cuisines quand les fruits de mer sont préparés de cette manière.

1 Retirez les têtes des crevettes sans toucher aux carapaces. Posez les crevettes étêtées à plat sur une planche et incisez-les délicatement sur la longueur. Ouvrez les crevettes bien à plat pour obtenir des crevettes «en papillon».

2 Jetez les intestins, puis lavez les crevettes et essuyez-les. Mettez les crevettes dans un grand saladier, ajoutez l'ail, le piment et l'huile d'olive, salez et poivrez. Couvrez et laissez mariner au moins 1 heure.

3 Chauffez un gril en fonte pendant 3 minutes, jusqu'à ce qu'il soit brûlant. Faites cuire les crevettes, carapace dessous, pendant 3-4 minutes. Retournez-les et faites-les cuire de l'autre côté pendant quelques secondes seulement. Transférez les crevettes cuites dans un plat de service chaud, arrosez d'huile d'olive et servez avec des quartiers de citron et du pain croustillant.

Pour 4 personnes

1 kg de grosses crevettes crues

4 gousses d'ail émincées

1 piment rouge, épépiné et haché

4 cuillerées à soupe d'huile d'olive vierge extra

sel et poivre

quartiers de citron, pour garnir

pain croustillant, pour servir

sardines au barbecue

espagne

Les sardines sont très appréciées dans les contrées méditerranéennes; les Espagnols et les Portugais en raffolent. Choisissez des sardines d'une extrême fraîcheur; elles doivent être fermes et d'aspect brillant. Demandez à votre poissonnier de les écailler, mais ne les videz pas car vous risqueriez de déchirer la peau.

1 Pelez les poivrons. Placez les poivrons entiers sous un gril préchauffé et faites-les griller jusqu'à ce qu'ils noircissent. Transférez-les dans un sac plastique et laissez-les refroidir. Pelez alors les poivrons et détaillez la chair en fines lanières. Arrosez d'huile et de vinaigre, salez et poivrez.

2 Lavez et essuyez les sardines, disposez-les sur un grand plat et salez. Couvrez et laissez reposer pendant 1 heure, lavez-les à nouveau et essuyez-les, frottez-les à l'huile et faites-les griller au barbecue, sur un gril en fonte ou sous un gril de four, pendant 2-3 minutes de chaque côté. Servez les sardines très chaudes avec les poivrons grillés et une salade de tomates.

Pour 4 personnes

2 poivrons rouges

huile d'olive vierge extra

vinaigre blanc

16 sardines fraîches, écaillées mais non vidées (voir ci-contre)

sel marin et poivre

salade de tomates, pour servir

homard sauce à l'ail

grèce

4 homards entiers de 500 g chacun environ, coupés en deux

8 brins de romarin de 15 cm de long environ

sel et poivre

Sauce à l'ail :

20 cl d'huile d'olive vierge extra

4 piments rouges, épépinés et finement hachés

4 gousses d'ail écrasées

2 cuillerées à soupe de romarin ciselé

jus d'un citron

sel et poivre

J'ai mangé mon meilleur homard lors de ma lune de miel sur l'île grecque de Lesbos, grillé et servi avec une sauce à l'ail. J'ai essayé de cuisiner le homard de diverses manières – au gril, au barbecue, au four – pour finalement préférer la cuisson au four très chaud. Toutefois, pour obtenir un résultat plus savoureux, il faut couper le homard vivant en deux... et donc avoir un poissonnier très coopératif.

1 Préparez la sauce à l'ail. Mélangez tous les ingrédients dans un saladier, salez et poivrez à volonté.

2 Avec un maillet ou un rouleau à pâtisserie, cassez les pattes de chaque homard pour accélérer la cuisson.

3 Parsemez le fond d'une plaque de four de la moitié du romarin et disposez les homards sur ce lit d'herbes, carapace dessous. Arrosez d'un peu de sauce, salez et poivrez et couvrez du reste de romarin. Faites rôtir les homards au four préchauffé à 240 °C/th. 9, pendant 15 minutes.

4 Laissez refroidir les homards quelques minutes et servez-les avec le reste de la sauce à l'ail.

Pour 4 personnes

volailles et gibier

Dans de nombreux pays méditerranéens, chaque famille ou presque élève des poulets qui, même s'ils paraissent parfois un peu maigres, n'en ont pas moins une chair moelleuse. Ils sont généralement rôtis au four ou cuits à la cocotte; c'est un aliment ordinaire que l'on sert rarement lors de grandes occasions. Si possible, achetez de la pintade fermière biologique chez un boucher en qui vous avez confiance. Les volailles comme les canards sont élevées pour la table, mais la majeure partie du gibier est chassée, le lapin, la perdrix et le sanglier figurant parmi les plus appréciés.

poulet au citron et aux olives

maroc

un poulet fermier de 2,2 kg

environ 4 cuillerées à soupe d'huile d'olive

12 petits oignons blancs entiers, pelés

2 gousses d'ail écrasées

1 cuillerée à soupe de cumin, de gingembre et de curcuma en poudre

50 cl de bouillon de volaille (voir page 139)

125 g d'olives kalamata

1 citron confit, haché

2 cuillerées à soupe de coriandre hachée

sel et poivre

couscous cuit, riz ou pâtes, pour servir

Ce plat marocain est parfumé au citron confit, condiment amer qui agrémente bon nombre de plats de viande. Vous trouverez une recette de citrons confits page 140. Vous pouvez également les acheter dans des épiceries arabes ou exotiques et dans certains supermarchés.

1 Découpez le poulet en huit morceaux (ou demandez à votre boucher de le faire pour vous). Chauffez l'huile dans une cocotte et faites dorer les morceaux de manière uniforme. Retirez-les avec une écumoire et réservez.

2 Ajoutez les oignons, l'ail et les épices puis faites revenir à feu doux pendant 10 minutes. Remettez le poulet dans la cocotte, versez le bouillon et portez à ébullition Couvrez et laissez mijoter une trentaine de minutes.

3 Ajoutez les olives, le citron haché et la coriandre puis poursuivez la cuisson 15-20 minutes, jusqu'à ce que le poulet soit moelleux. Vérifiez l'assaisonnement, ajoutez du sel et du poivre si nécessaire et servez avec du couscous, du riz ou des pâtes.

Pour 4 personnes

poulet à l'aïoli

france

un poulet fermier de 1,5 kg

un oignon piqué de 3 clous
de girofle

250 g de pancetta fumée

4 saucisses de Toulouse ou autres
saucisses de porc de bonne qualité

4 carottes nettoyées

4 poireaux nettoyés

un bouquet garni

4 pommes de terre

1 petit chou vert coupé
en quartiers

2 cuillerées à soupe de persil haché

sel et poivre

Pour servir :

une portion d'aïoli (voir page 134)

pain croustillant

On appelle «poule au pot» un poulet, ou une poule, cuit entier dans l'eau avec un mélange de légumes et d'autres viandes, comme du lard et des saucisses. Une fois que la volaille est moelleuse à souhait, les légumes et la viande sont cuits à point et le bouillon regorge de différents arômes. Les légumes et la viande sont servis accompagnés d'un bol d'aïoli.

1 Lavez et essuyez le poulet et farcissez-le avec l'oignon piqué de clous de girofle. Mettez-le dans une grande cocotte, couvrez-le d'eau froide et portez à ébullition en retirant l'écume.

2 Ajoutez la pancetta, les saucisses, les carottes, les poireaux et le bouquet garni puis portez à nouveau à ébullition. Laissez frémir une vingtaine de minutes, en couvrant partiellement, puis ajoutez les pommes de terre et le chou et poursuivez la cuisson à feu doux pendant 40 minutes, jusqu'à ce que les légumes et la viande soient fondants.

3 Retirez la viande et la volaille de la cocotte et dressez-les sur un plat de service chaud ainsi que les légumes. Couvrez de papier d'aluminium et réservez-les au chaud dans un four à basse température. Passez le bouillon dans une casserole propre et portez rapidement à ébullition jusqu'à ce qu'il réduise de moitié. Salez et poivrez puis incorporez le persil.

4 Découpez la viande et dressez-la, ainsi que les légumes, sur des assiettes à soupe individuelles. Arrosez de bouillon et servez avec une bonne cuillerée d'aïoli et du pain croustillant.

Pour 4 personnes

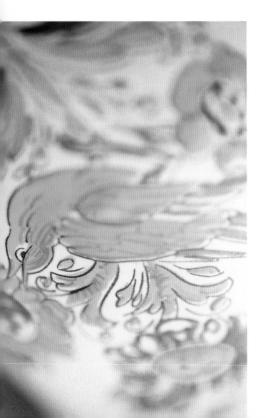

pigeon aux petits pois

italie

Un ragoût italien, plus précisément d'Ombrie, cuisiné avec des pigeons entiers et des petits pois. Utilisez des petits pois surgelés si ce n'est pas la saison des petits pois frais.

1 Lavez et essuyez l'intérieur et l'extérieur des pigeons. Enveloppez chaque pigeon dans deux tranches de pancetta et ficelez.

2 Chauffez l'huile dans une cocotte et faites dorer les pigeons de tous les côtés, puis retirez-les avec une écumoire. Ajoutez les oignons et faites-les revenir 5 minutes.

3 Remettez les pigeons dans la cocotte, côté poitrine dessous, ajoutez le vin et faites bouillir à feu vif afin que le jus réduise de moitié. Versez le bouillon, ajoutez le thym, couvrez et faites cuire au four préchauffé pendant 45-60 minutes à 180 °C./th. 4, jusqu'à ce que les pigeons soient tendres.

4 Ajoutez les petits pois et transférez la cocotte sur un feu. Laissez mijoter, sans couvrir, pendant 10-15 minutes, jusqu'à ce que les petits pois soient fondants. Transférez les pigeons dans un plat chaud, couvrez de papier d'aluminium et laissez reposer 5 minutes. Baissez la flamme et incorporez le beurre petit à petit ; salez et poivrez à volonté puis servez les petits pois et la sauce avec les pigeons.

Pour 4 personnes

4 pigeons préparés

8 tranches de pancetta fumée

4 cuillerées à soupe d'huile d'olive

250 g de petits oignons blancs entiers, pelés

15 cl de vin blanc sec

30 cl de bouillon de volaille (voir page 139)

2 cuillerées à café de thym haché

250 g de petits pois écossés

50 g de beurre coupé en dés

sel et poivre

poulet au citron et sauce au yaourt

grèce

Les meilleurs plats grecs sont à base de viande grillée au four ou au barbecue.

1 Lavez et essuyez les morceaux de poulet et frottez-les avec les moitiés de citrons. Mettez le poulet dans un grand plat en terre cuite, ajoutez l'origan, le thym, l'huile d'olive, l'ail et le citron puis remuez. Couvrez et laissez mariner pendant au moins 2 heures.

2 Dans l'intervalle, préparez la sauce au yaourt. Versez le yaourt dans un bol et battez. Écrasez l'ail et le sel ensemble dans un mortier avec un pilon ou bien sur une planche à découper, à la lame du couteau. Incorporez l'ail et l'aneth au yaourt. Réservez.

3 Retirez les morceaux de poulet et les demi-citrons du plat, en réservant la marinade. Faites griller les morceaux de poulet au barbecue ou sous un gril très chaud, à 10 bons centimètres au moins au-dessous de la source de chaleur, pendant 30 minutes, en les arrosant régulièrement de marinade et en les retournant à la mi-cuisson. Lorsqu'ils sont un peu noircis et cuits à point, servez-les avec la sauce au yaourt.

Pour 4 personnes

4 morceaux de poulet

2 citrons coupés en deux

1 cuillerée à soupe d'origan séché

2 brins de thym

4 cuillerées à soupe d'huile d'olive

4 gousses d'ail, grossièrement hachées

chips, pour servir

Sauce au yaourt :

25 cl de yaourt à la grecque

1-2 gousses d'ail

½ cuillerée à café de sel marin

1 cuillerée à soupe d'aneth haché

perdrix
aux lentilles

france

Les collines de Provence sont peuplées d'une grande variété de gibier à plumes, mais ce plat de perdrix aux lentilles est plutôt originaire du Sud-Ouest, des contrées gasconnes. Il est particulièrement apprécié en hiver, une saison où l'on aime cuisiner des plats consistants.

1 Faites tremper les lentilles dans l'eau froide pendant 1 heure, puis égouttez-les.

2 Retirez les abattis des perdrix, s'il y en a. Faites fondre la moitié du beurre dans une cocotte et faites dorer les perdrix de manière uniforme. Retirez avec une écumoire et réservez.

3 Mettez le reste du beurre dans la cocotte et faites rissoler l'oignon, l'ail, le thym et les légumes pendant 10 minutes. Ajoutez les feuilles de laurier et les baies de genièvre, versez le vin et faites bouillir à feu vif afin que le jus réduise de moitié.

4 Remettez les perdrix dans la cocotte ainsi que le bouillon et portez à ébullition. Couvrez, transférez dans un four préchauffé à 190 °C/th. 5 et laissez cuire 45 minutes.

5 Retirez délicatement le couvercle et ajoutez les lentilles en veillant à ce qu'elles entourent bien les volailles. Couvrez à nouveau et enfournez pendant 1 heure, jusqu'à ce que les perdrix et les lentilles soient moelleuses. Retirez les volailles, couvrez-les de papier d'aluminium et laissez-les reposer 10 minutes avant de les découper. Servez ce plat garni de feuilles de céleri, de persil et de thym.

Pour 4 personnes

250 g de lentilles vertes

4 perdrix prêtes à cuire

50 g de beurre

1 oignon finement haché

2 gousses d'ail

1 cuillerée à soupe de thym haché

1 carotte coupée en dés

1 poireau coupé en dés

1 branche de céleri coupée en dés

4 feuilles de laurier

6 baies de genièvre

30 cl de vin rouge

60 cl de bouillon de volaille

Pour garnir :

feuilles de céleri

persil haché

brins de thym

canard aux poires

espagne

un canard de 2,2 kg environ,
coupé en quatre

1 oignon doux haché

2 gousses d'ail écrasées

20 cl de bouillon de volaille
(voir page 139)

2 cuillerées à soupe de d'eau-de-vie
espagnole

2 cuillerées à soupe de raisins secs

2 cuillerées à soupe d'amandes
non mondées

6 baies de genièvre écrasées

4 poires pelées et coupées en deux

1 cuillerée à soupe de vinaigre
de xérès

sel et poivre

riz nature ou pommes de terre
à l'eau, pour servir

Le canard aux poires est un plat catalan classique. En étalant la cuisson de la volaille sur deux jours, on obtient un mets plus goûteux et une volaille plus tendre. En outre, le gras se retire facilement une fois figé en surface.

1 Piquez les morceaux de canard avec une brochette et disposez-les sur une plaque de four, côté peau dessus. Faites-les rôtir dans un four préchauffé à 200 °C/th. 6 jusqu'à ce que la peau soit croustillante, soit 45 minutes environ. Retirez le plus de graisse possible en réservant 2 cuillerées à soupe ; veillez à laisser le jus.

2 Chauffez la graisse de canard réservée dans une cocotte, ajoutez l'oignon et l'ail ; faites-les légèrement dorer à feu doux pendant 10 minutes. Incorporez le bouillon, l'eau-de-vie, les raisins secs, les amandes et les baies de genièvre, puis portez à ébullition. Ajoutez les morceaux de canard et le jus, couvrez et laissez frémir pendant 30 minutes. Laissez refroidir et réfrigérez jusqu'au lendemain.

3 Sortez le canard du réfrigérateur et retirez la graisse déposée en surface. Mettez la cocotte sur la flamme et portez à ébullition à feu doux. Ajoutez les demi-poires et le vinaigre, salez et poivrez à volonté, couvrez et laissez mijoter une vingtaine de minutes ; les poires doivent être bien cuites. Servez avec du riz nature ou des pommes de terre à l'eau.

Pour 4 personnes

coquelets aux pistaches

tunisie

1 oignon émincé

4 gousses d'ail grossièrement
hachées

4 tomates mûres hachées

125 g de pistaches décortiquées

50 g de raisins de Smyrne

2 coquelets de 500 g

1 cuillerée à soupe d'huile d'olive

une pincée de filaments de safran

½ cuillerée à café de cumin,
de gingembre, de curcuma
et de cannelle en poudre

30 cl de bouillon de volaille
(voir page 139)

sel et poivre

La combinaison épices-pistaches-fruits proposée ici donne à penser que ce plat est d'origine nord-africaine, et pourtant j'ai mangé un plat identique dans un restaurant espagnol de New York.

1 Mettez l'oignon, l'ail, les tomates, les pistaches et les raisins de Smyrne dans une grande cocotte avec un peu de sel et de poivre.

2 Lavez et essuyez les coquelets, disposez-les sur le lit de légumes et arrosez-les d'un filet d'huile. Incorporez le safran et les épices au bouillon fumant et versez celui-ci autour des coquelets. Couvrez la cocotte et faites cuire les volailles au four préchauffé à 200 °C/th. 6 pendant 40 minutes.

3 Retirez le couvercle et arrosez les coquelets de jus. Poursuivez la cuisson une trentaine de minutes ; les volailles doivent être dorées et les cuisses rendre un jus clair si vous les piquez avec une fourchette. Servez très chaud.

Pour 4 personnes

civet de lapin chasseur
italie

Un mets simple et agréable à préparer, le préféré des chasseurs toscans qui, en d'autres temps, auraient sans aucun doute dépouillé et cuit leurs proies sur les braises d'un feu de camp avec quelques herbes sauvages en guise d'assaisonnement.
Cette recette est un peu plus élaborée mais ne présente aucune complexité.

1 Lavez et essuyez les morceaux de lapin et le foie puis mettez-les dans un plat en terre cuite avec l'ail, le romarin, la sauge et le vin rouge ; salez et poivrez. Couvrez et laissez mariner une nuit entière.

2 Retirez les morceaux de lapin de la marinade et essuyez-les bien sur du papier absorbant. Passez la marinade dans une casserole, portez à ébullition, couvrez et laissez frémir pendant 1 heure en ajoutant les olives dans le dernier quart d'heure. Transférez le lapin dans un plat de service chaud, recouvrez de papier d'aluminium et réservez au chaud.

4 Réduisez le foie en purée dans la sauce, portez à ébullition et laissez bouillir 10 minutes, jusqu'à ce que la sauce devienne épaisse et brillante. Nappez le lapin de sauce et servez avec de la polenta ou des coquillettes.

Pour 4 personnes

1 lapin découpé en 8 morceaux, foie réservé

2 gousses d'ail écrasées

1 cuillerée à soupe de romarin et de sauge hachés

1 bouteille de vin rouge corsé

2 cuillerées à soupe d'huile d'olive

500 g de tomates mûres, pelées, épépinées et hachées

2 cuillerées à soupe de purée de tomates

12 olives noires de Toscane

sel et poivre

polenta ou coquillettes, pour servir

viandes

La viande tend à être considérée comme une denrée de luxe, même si les campagnes méditerranéennes fourmillent d'agneaux et de porcs. Le bœuf est rare mais le veau est très apprécié en Italie, en Espagne et en Grèce. Le porc est interdit par les religions musulmane et juive, mais les pays d'autres confessions en consomment des quantités importantes. Les ragoûts, les rôtis et les grillades sont des plats courants alors que les sauces à la viande accompagnent souvent l'aliment de base de la région, comme les pâtes et le couscous. Essayez de vous procurer de la viande fermière et de qualité supérieure, si possible.

daube de bœuf

france

Ce ragoût de bœuf, longuement mijoté et parfumé aux olives de Provence, est un plat d'hiver aussi nourrissant que délicieux.

1 Commencez par préparer la marinade. Chauffez l'huile dans une marmite et faites revenir l'oignon, les carottes, le céleri et le thym pendant 10 minutes. Incorporez le vin, portez à ébullition puis laissez frémir une vingtaine de minutes. Laissez refroidir complètement, ajoutez le bœuf et laissez mariner toute la nuit.

2 Le lendemain, transférez le bœuf dans une cocotte, réservez la marinade et garnissez du mélange de petits oignons, d'ail, de carottes, de céleri et de thym; ajoutez le zeste d'orange, les herbes, les tomates, la purée de tomates, le bouillon, du sel et du poivre.

3 Passez la marinade réservée dans la cocotte, portez à ébullition et couvrez. Transférez la cocotte au four préchauffé à 150 °C/th. 2 et laissez mijoter 2 heures.

4 Retirez la cocotte du four et incorporez les anchois et les olives; salez et poivrez puis enfournez à nouveau la cocotte pendant 1 heure, jusqu'à ce que la viande soit moelleuse. Laissez refroidir complètement puis réfrigérez toute une nuit. Écumez le gras et réchauffez avant de servir.

Pour 4-6 personnes

1 kg de bœuf à braiser détaillé en dés

250 g de petits oignons blancs pelés et entiers

2 gousses d'ail écrasées

2 carottes détaillées en épaisses rondelles

2 branches de céleri grossièrement émincées

4 lanières de zeste d'orange

2 feuilles de laurier

2 brins de thym

2 brins de romarin

400 g de tomates pelées en conserve, hachées

2 cuillerées à soupe de purée de tomates

30 cl de bouillon de bœuf

4 filets d'anchois au sel, rincés et hachés

50 g d'olives niçoises

sel et poivre

Marinade :

2 cuillerées à soupe d'huile d'olive

1 oignon haché

2 carottes hachées

2 branches de céleri hachées

1 cuillerée à soupe de thym haché

50 cl de vin rouge

tajine d'agneau et couscous aux figues

maroc

Au Maroc, on cuisine les tajines de viande, de volaille et de poisson dans des tajines ou plats en terre cuite munis de couvercles coniques. Ces ragoûts parfumés sont devenus un des trésors culinaires du pays. Traditionnellement, on les sert avec du couscous, une fine semoule de blé dur qui cuit au-dessus du ragoût et s'imprègne des délicieux parfums de la viande et des légumes.

1 kg de collier d'agneau coupé en dés

2 oignons hachés

4 gousses d'ail écrasées

1 cuillerée à café de paprika et de gingembre hachés

½ cuillerée à café de piment de Cayenne et de curcuma en poudre

1 bâton de cannelle grossièrement émietté

une bonne pincée de piment en paillettes

400 g de pois chiches en boîte, égouttés

2 pommes de terre coupées en dés

2 carottes émincées

125 g de figues séchées, émincées

2 courgettes émincées

2 cuillerées à soupe de coriandre hachée

sel et poivre

Pour servir :

250 g de semoule pour couscous

harissa (voir page 32)

1 Mettez l'agneau, les oignons, l'ail, les épices et les paillettes de piment dans le compartiment inférieur d'un cuit-vapeur, assaisonnez de sel et de poivre puis couvrez d'eau. Portez à ébullition, couvrez et laissez frémir pendant 1 ½ heure.

2 Incorporez les pois chiches, les pommes de terre, les carottes, les figues, les courgettes et la coriandre, couvrez et poursuivez la cuisson à feu doux 20-30 minutes, jusqu'à ce que les légumes et la viande soient fondants.

3 Pendant ce temps, faites tremper la semoule 10 minutes dans l'eau chaude, puis égouttez.

4 Dix minutes avant la fin de la cuisson du ragoût, mettez le couscous dans le compartiment supérieur du cuit-vapeur et faites-le cuire à la vapeur jusqu'à ce que les grains soient bien gonflés et moelleux. Dès que le ragoût est prêt, servez-le accompagné de couscous et de harissa.

Pour 4 personnes

agneau en papillotes

turquie

On commence par faire cuire la viande et les légumes à l'étouffée puis on enveloppe des portions individuelles dans du papier d'aluminium ; ensuite, on enfourne les papillotes jusqu'à ce que la viande soit fondante. Le kasar est un fromage de brebis qui s'achète dans les épiceries orientales. Si vous n'en trouvez pas, remplacez-le par du pecorino sardo.

1 Salez et poivrez les tranches de gigot. Faites fondre le beurre dans une cocotte et dorer la viande des deux côtés. Retirez avec une écumoire.

2 Ajoutez l'oignon, les pommes de terre et les carottes et laissez rissoler une dizaine de minutes. Ajoutez l'agneau, les tomates, le laurier, l'aneth, les épices, l'eau, le sel et le poivre. Portez à ébullition, couvrez et laissez mijoter pendant 1 heure.

3 Disposez une tranche de gigot et un quart du mélange de légumes au milieu de chaque feuille de papier d'aluminium, ajoutez un peu de jus et fermez les papillotes. Faites cuire 30 minutes au four préchauffé à 190 °C/th. 5.

4 Ouvrez les papillotes, déposez une tranche de fromage à l'intérieur de chacune et servez une fois le fromage fondu.

Pour 4 personnes

4 tranches de gigot d'agneau de 300 g chacune environ

50 g de beurre

1 oignon émincé

2 grosses pommes de terre grossièrement émincées

2 grosses carottes hachées

2 tomates grossièrement hachées

4 feuilles de laurier

1 cuillerée à soupe d'aneth haché

½ cuillerée à café de toute-épice en poudre

une pincée de cannelle en poudre

15 cl d'eau

50 g de kasar (fromage turc) détaillé en 4 tranches

sel et poivre

escalope de veau aux câpres

italie

Ces escalopes de veau saisies au beurre puis braisées avec des câpres, du vin et du vinaigre balsamique constituent un mets appétissant pour un dîner rapide.

1 Mettez les escalopes entre deux feuilles de film fraîcheur et, avec un maillet en bois ou un rouleau à pâtisserie, aplatissez-les jusqu'à ce qu'elles mesurent 3 mm d'épaisseur.

2 Faites fondre le beurre dans une grande sauteuse. Quand il ne mousse plus, ajoutez les escalopes et faites-les cuire 30 secondes de chaque côté ; elles doivent être légèrement dorées. Ajoutez les câpres, le vin, le vinaigre et le persil puis laissez mijoter 1 minute.

3 Transférez les escalopes dans des assiettes chaudes. Baissez la flamme et incorporez progressivement le reste du beurre en battant. Salez et poivrez puis versez le jus de cuisson sur les escalopes. Servez immédiatement.

Pour 2 personnes

2 escalopes de veau de 150 g chacune environ

50 g de beurre doux, coupé en dés

2 cuillerées à soupe de câpres au sel, rincées et égouttées

5 cl de vin blanc sec

1 cuillerée à soupe de vinaigre balsamique

2 cuillerées à soupe de persil haché

sel et poivre

gigot d'agneau
à l'ail rôti

italie

un gigot d'agneau de 2 kg désossé
et dressé en papillon
(voir ci-contre)

2 gousses d'ail écrasées

4 brins de romarin

4 brins de thym

zeste râpé et jus d'un citron

5 cuillerées à soupe d'huile d'olive

6 têtes d'ail entières

sel et poivre

brins de romarin pour garnir

tomates rôties au four
(voir page 45) pour servir

Demandez à votre boucher de désosser le gigot d'agneau et de le dresser en papillon. C'est une excellente méthode pour cuisiner un gigot, en particulier au barbecue, car la viande cuit beaucoup plus vite sans l'os. Ce mets aux saveurs italiennes est succulent servi avec des tomates rôties au four (voir page 45). Vous pouvez cuisiner les tomates à l'avance et les réchauffer avec l'ail pendant les 10 dernières minutes de cuisson.

1 Mettez l'agneau dans un grand saladier, ajoutez l'ail écrasé, les herbes, le zeste de citron, salez et poivrez puis frottez bien pour que la chair s'imprègne des arômes. Ajoutez le jus de citron et 4 cuillerées à soupe d'huile, couvrez et laissez mariner au réfrigérateur pendant la nuit.

2 Retirez l'agneau du réfrigérateur et laissez reposer à température ambiante.

3 Prenez les têtes d'ail et coupez les extrémités supérieures pour mettre les gousses à découvert. Arrosez les têtes d'un filet d'huile et enveloppez-les dans du papier d'aluminium en confectionnant des paquets individuels. Faites cuire l'ail pendant 45-50 minutes au four préchauffé à 200 °C/th. 6, jusqu'à ce qu'il soit moelleux. Réservez au chaud.

4 Retirez l'agneau de la marinade et essuyez-le sur du papier absorbant. Faites-le cuire au barbecue, ou sous un gril préchauffé ou bien encore sur un gril en fonte, 12-15 minutes de chaque côté selon l'épaisseur de la viande. Couvrez de papier d'aluminium et laissez reposer 10 minutes.

5 Servez l'agneau en tranches, garni de romarin et accompagné d'ail rôti et de tomates cuites au four.

Pour 6 personnes

bœuf catalan au chocolat

espagne

25 g de beurre

5 cuillerées à soupe d'huile d'olive

1 kg de bœuf à braiser détaillé en dés

2 oignons hachés

4 gousses d'ail hachées

1 cuillerée à soupe de farine

15 cl de xérès sec

4 brins de persil

4 feuilles de laurier

1 cuillerée à café d'origan et de thym séchés

2 bâtonnets de cannelle, émiettés

250 g de champignons de Paris

15 g de chocolat amer haché

250 g de pommes de terre fermes détaillées en dés

2 saucisses pur porc de bonne qualité

sel et poivre

La présence de chocolat dans un mets salé trahit souvent une origine catalane. Le chocolat ajoute une certaine richesse ainsi qu'une légère note d'acidité à ce ragoût – bien que, traditionnellement, la variété de chocolat utilisée renferme de la cannelle et de la farine de riz en sus du sucre et du cacao. Pour un résultat plus authentique, il est donc conseillé de choisir un chocolat un peu plus doux. Pour ma part, je préfère néanmoins le ragoût cuisiné avec un chocolat vraiment amer.

1 Chauffez le beurre et 2 cuillerées à soupe d'huile dans une cocotte, ajoutez la viande en plusieurs fois et faites-la rissoler de manière uniforme. Incorporez les oignons et l'ail et faites revenir le tout une dizaine de minutes en ajoutant un peu de beurre si nécessaire.

2 Saupoudrez de farine et remuez avec une cuiller en bois, puis ajoutez progressivement le xérès. Portez à ébullition puis ajoutez les herbes, la cannelle, un peu de sel et de poivre et suffisamment d'eau pour recouvrir la viande. Couvrez et laissez mijoter pendant 2 heures.

3 Chauffez 2 cuillerées à soupe du reste d'huile dans une sauteuse et faites dorer les champignons pendant 3-4 minutes, puis incorporez-les au ragoût avec le chocolat et les pommes de terre. Poursuivez la cuisson 20-30 minutes, jusqu'à ce que la viande et les pommes de terre soient moelleuses. Salez et poivrez.

4 Juste avant de servir, détaillez les saucisses en rondelles et faites-les dorer rapidement dans le reste d'huile. Servez-les avec le ragoût.

Pour 4 personnes

rôti de porc

france

La présence d'anchois dans la sauce du rôti de porc est typique de la cuisine provençale.
Servez ce rôti avec des pommes de terre au four et un assortiment de légumes de saison.

1 Lavez et essuyez le rôti de porc, frottez-le d'huile, puis de coriandre, de sel
et de poivre afin qu'il soit enrobé d'une fine couche d'épices. Piquez-le de brins
de romarin et de morceaux d'ail.

2 Transférez le rôti dans un plat à feu, ajoutez le vin et le laurier et faites-le cuire
pendant ½ -2 heures dans un four préchauffé à 200 °C/th. 6, jusqu'à ce qu'il rende
un jus transparent lorsque vous le piquez de la lame d'un couteau. Retirez le rôti du four,
dressez-le sur un plat chaud, couvrez-le de papier d'aluminium et laissez-le reposer
une dizaine de minutes.

3 Pendant ce temps, passez le jus de cuisson dans une casserole et ajoutez le bouillon,
le jus de citron et les anchois. Portez à ébullition et laissez bouillir jusqu'à ce que
le liquide réduise de moitié et épaississe légèrement. Goûtez et rectifiez
l'assaisonnement si nécessaire. Découpez le rôti et servez-le nappé de sauce.

Pour 6 personnes

1,5 kg de filet de porc roulé

2 cuillerées à soupe d'huile d'olive

**2 cuillerées à soupe de graines
de coriandre légèrement écrasées**

6-8 brins de romarin

**4 gousses d'ail grossièrement
émincées**

15 cl de vin blanc sec

2 feuilles de laurier

**30 cl de bouillon de volaille
(voir page 139)**

jus d'un demi-citron

**2 filets d'anchois en conserve,
égouttés et hachés**

sel et poivre

1 cuillerée à soupe de graines
de coriandre

4-6 cuillerées à soupe d'huile
d'olive

1 kg d'épaule de porc désossée
et détaillée en dés

2 oignons finement hachés

2 gousses d'ail écrasées

30 cl de vin rouge

2 cuillerées à soupe de miel liquide

15 cl d'eau

2 cuillerées à soupe de purée
de tomates

2 cuillerées à café de grains de
poivre gris grossièrement écrasés

2 bâtonnets de cannelle, émiettés

½ cuillerée à café de clous
de girofle entiers

800 g de coings, pelés, évidés
et coupés en morceaux

sel

purée de pommes de terre,
en accompagnement (facultatif)

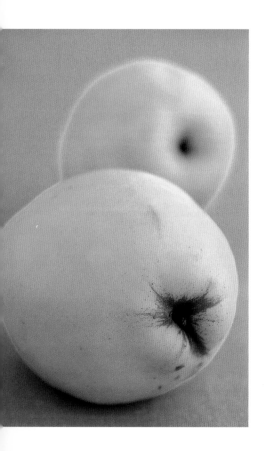

porc aux coings

grèce/chypre

*Cette recette est un peu hybride, à la fois d'inspiration grecque et chypriote. En Grèce,
les coings accompagnent presque toutes les viandes, dont l'agneau et le veau. L'usage
des graines de coriandre est typique du style de cuisine chypriote appelé afelia.*

1 Faites griller les graines de coriandre à sec dans une poêle à fond épais. Laissez
refroidir puis écrasez grossièrement.

2 Chauffez la moitié de l'huile dans une sauteuse puis faites rissoler le porc, en plusieurs
fois, jusqu'à ce qu'il soit bien doré. Transférez dans une cocotte avec une écumoire.
Ajoutez les oignons et l'ail, et un peu d'huile si nécessaire, et faites revenir le tout à feu
doux pendant 10 minutes. Ajoutez le vin, le miel, l'eau, la purée de tomates, les graines
de coriandre, les grains de poivre, la cannelle, les clous de girofle et un peu de sel
au contenu de la cocotte.

3 Portez le ragoût à ébullition, couvrez et faites-le cuire pendant 1 ½ heure dans un four
préchauffé à 180 °C/th. 4.

4 Chauffez le reste d'huile dans une sauteuse et faites dorer les coings pendant
5 minutes. Ajoutez-les au ragoût en remuant bien et poursuivez la cuisson
30-45 minutes ; la viande et les coings doivent être moelleux. Goûtez et rectifiez
l'assaisonnement si nécessaire. Servez le ragoût avec une purée de pommes de terre
si vous le souhaitez.

Pour 4 personnes

saucisses italiennes à la polenta et salsa rossa

italie

Si vous avez déjà eu l'occasion de goûter aux saucisses italiennes, vous savez combien elles sont délicieuses. Cette recette m'a été transmise par un ami originaire de Sienne et elle est excellente. Si vous n'aimez pas particulièrement farcir les boyaux, demandez à votre charcutier s'il veut bien le faire à votre place.

1 Égouttez les boyaux et essuyez-les sur du papier absorbant.

2 Faites griller les graines de fenouil pendant 1-2 minutes dans une petite poêle. Laissez refroidir puis écrasez-les grossièrement.

3 Mettez la viande dans un robot ménager et hachez-la grossièrement. Retirez les gros morceaux de gras ou de cartilage. Transférez la viande hachée dans un grand saladier et incorporez le reste des ingrédients.

4 Transférez la chair à saucisses dans une poche munie d'une grosse douille et remplissez le boyau vide en le torsadant au fur et à mesure pour façonner chaque saucisse ; vous devez obtenir de 12 à 16 petites saucisses. Séparez-les.

5 Faites griller ou frire les saucisses pendant 15-20 minutes. Réservez-les au chaud dans un four à basse température pendant que vous faites cuire la polenta.

6 Pour faire cuire la polenta, portez à ébullition une grande casserole d'eau. Salez et ajoutez la polenta en fouettant régulièrement. Poursuivez la cuisson à feu doux pendant 5 minutes en continuant à battre avec une cuiller en bois jusqu'à obtention d'une consistance assez épaisse. Incorporez la sauge, le beurre et le parmesan tout en battant, salez et poivrez ; servez la polenta sur des assiettes chaudes. Garnissez de saucisses et servez nappé d'une cuillerée de salsa rossa.

Pour 4 personnes

25 g de boyaux vides mis à tremper dans l'eau pendant 2 heures

½ cuillerée à soupe de graines de fenouil

400 g d'épaule de porc désossée détaillée en dés

400 g de poitrine de porc coupée en dés

150 g de collier d'agneau coupé en dés

100 g de pancetta coupée en dés

2 gousses d'ail écrasées

4 cuill. à soupe de sauge hachée

½ cuillerée à soupe de grains de poivre gris légèrement écrasés

sel

salsa rossa (voir page 136), pour servir

Polenta :

1,5 litre d'eau

2 cuillerées à café de sel

150 g de polenta instantanée

1 cuill. à soupe de sauge hachée

50 g de beurre

25 g de parmesan, fraîchement râpé

poivre

filet mignon de porc
au marsala

italie

Traditionnellement, ce plat se prépare avec des escalopes de veau ou des médaillons de porc, mais j'aime le filet cuisiné de cette manière, servi en tranches épaisses et nappé de sauce au marsala. Les feuilles de sauge croustillantes ajoutent une note amusante et colorée, mais vous êtes libre de ne pas en mettre si vous le souhaitez.

1 Salez et poivrez la viande. Chauffez l'huile dans une grande sauteuse et faites rissoler la viande pendant 5 minutes environ. Transférez-la dans un four préchauffé à 190 °C/th. 5 et faites-la rôtir une vingtaine de minutes. Pour vérifier la cuisson, piquez la viande avec une brochette ; elle rendra un jus clair si elle est cuite à point.

2 Retirez la viande du four et laissez-la reposer couverte de papier d'aluminium, pendant que vous préparez la sauce. Ajoutez 25 g de beurre dans la sauteuse et faites revenir les échalotes, l'ail et la sauge pendant 5 minutes à feu doux. Réduisez la flamme et incorporez progressivement le reste de beurre, jusqu'à ce que la sauce soit épaisse et brillante.

4 Chauffez un peu d'huile dans une poêle et faites frire les feuilles de sauge pendant 30 secondes, jusqu'à ce qu'elles soient craquantes. Servez la viande avec des épinards au beurre ou de la salade à l'huile citronnée (voir page 52).

Pour 4 personnes

800 g de filet mignon de porc dégraissé

2 cuillerées à soupe d'huile d'olive

75 g de beurre coupé en dés

2 échalotes finement hachées

1 petite gousse d'ail écrasée

2 cuillerées à café de sauge hachée

15 cl de marsala

15 cl de bouillon de volaille (voir page 139)

feuilles de sauge rissolées dans l'huile, pour garnir (facultatif)

épinards au beurre ou salade de verdure à l'huile citronnée (voir page 52), en accompagnement

pâtes, céréales, riz

et légumineuses

Les denrées comme les pâtes, le riz, le boulgour et le couscous, consommées quotidiennement, constituent la base de l'alimentation méditerranéenne. On les sert en accompagnement du plat de résistance ou avec une sauce. Elles sont également l'ingrédient principal d'autres plats comme le risotto aux poireaux et au citron (voir page 102) ou le pilaf de riz et de pois chiches (voir page 105). Les légumineuses, qui donnent du volume, sont souvent associées à la viande pour rendre le plat plus copieux. Les pâtes, le boulgour et le riz servent à épaissir les soupes.

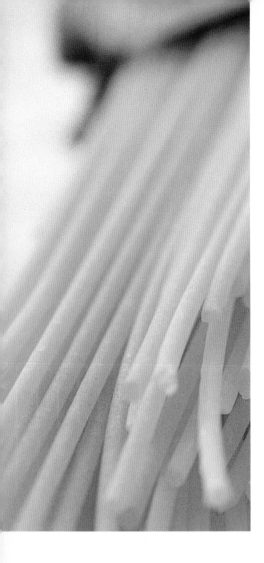

spaghettis et asperges grillées au basilic

italie

Cette recette californienne, inspirée des saveurs de l'Italie, est devenue ma préférée. Dommage que la saison des asperges soit si brève ! Je les remplace souvent par des brocolis.

500 g de pointes d'asperges nettoyées

3-4 cuillerées à soupe d'huile d'olive vierge extra

jus d'un citron

400 g de spaghettis secs

2 gousses d'ail grossièrement hachées

½ cuillerée à café de paillettes de piment séché

25 g de feuilles de basilic

25 g de parmesan fraîchement râpé et un peu plus pour servir

sel et poivre

1 Badigeonnez d'huile les pointes d'asperge et faites-les griller sous le gril d'un four ou sur un gril en fonte, jusqu'à ce qu'elles soient fondantes. Ajoutez un peu d'huile, la moitié du jus de citron, salez, poivrez et remuez, puis réservez.

2 Plongez les spaghettis dans une grande marmite d'eau salée portée à ébullition et faites-les cuire *al dente*.

3 Juste avant la fin de la cuisson des pâtes, chauffez le reste d'huile dans une grande sauteuse ou un wok et faites revenir l'ail avec un peu de sel pendant 3-4 minutes, jusqu'à ce qu'il soit moelleux mais non doré. Ajoutez les paillettes de piment et les asperges et réchauffez.

4 Égouttez les pâtes en réservant 4 cuillerées à soupe du liquide de cuisson ; ajoutez spaghettis et liquide au contenu de la sauteuse avec le basilic, le reste de jus de citron, le poivre et le parmesan. Servez immédiatement avec un peu de parmesan si vous le souhaitez.

Pour 4 personnes

fusilli aux fèves et au jambon de parme

italie

500 g de fèves décortiquées

400 g de fusilli (pâtes italiennes) ou autres pâtes alimentaires sèches

4 cuillerées à soupe d'huile d'olive vierge extra

2 gousses d'ail finement hachées

15 cl de vin blanc sec

20 cl de crème fraîche légère

2 cuillerées à soupe de menthe hachée

4 tranches de jambon de Parme détaillées en fines lanières

25 g de pecorino sardo ou de parmesan fraîchement râpé

sel et poivre

pecorino ou parmesan fraîchement râpé, pour servir

Vous pouvez utiliser n'importe quelle variété de pâtes sèches pour réaliser ce plat. Pelez les fèves si vous en avez la patience, vous obtiendrez un mets plus succulent.

1 Plongez les fèves dans une grande casserole d'eau bouillante légèrement salée et faites-les bouillir pendant 1 minute. Égouttez-les et rincez-les immédiatement à l'eau froide. Épluchez-les avec précaution.

2 Faites bouillir une grande casserole d'eau légèrement salée. Versez les pâtes dans l'eau bouillante et faites-les cuire *al dente* en suivant les conseils de cuisson indiqués.

3 Chauffez l'huile dans une grande sauteuse et faites revenir l'ail à feu doux jusqu'à ce qu'il soit moelleux. Ajoutez le vin et portez à ébullition jusqu'à ce qu'il ne reste plus que 2 cuillerées à soupe, puis incorporez la crème, la menthe et le poivre ; réchauffez le tout.

4 Égouttez les pâtes et ajoutez-les à la sauce avec le jambon de Parme et le pecorino ou le parmesan. Chauffez environ 30 secondes tout en remuant et servez avec du fromage.

Pour 4 personnes

pâtes aux sardines et aux raisins de smyrne

sicile

4 cuillerées à soupe de raisins de Smyrne

400 g de penne (pâtes italiennes)

4 cuillerées à soupe d'huile d'olive vierge extra

4 gousses d'ail écrasées

250 g de sardines à l'huile d'olive, égouttées et hachées

2 cuill. à soupe de jus de citron

2 cuillerées à soupe de pignons de pin grillés

2 cuill. à soupe de câpres

4 cuillerées à soupe de persil haché

sel et poivre

huile d'olive vierge pour servir

1 Faites tremper les raisins secs dans un peu d'eau bouillante pendant 30 minutes, puis égouttez-les et séchez-les sur du papier absorbant.

2 Portez à ébullition une grande casserole d'eau légèrement salée. Versez les pâtes sèches et faites-les cuire *al dente*.

3 Chauffez l'huile dans une sauteuse, ajoutez l'ail et faites-le revenir jusqu'à ce qu'il soit moelleux. Ajoutez les sardines et le jus de citron et faites cuire le tout pendant 1 minute en écrasant le poisson. Incorporez pignons, câpres, raisins secs, persil ; salez et poivrez.

4 Égouttez les pâtes, en réservant 4 cuillerées à soupe d'eau de cuisson, et ajoutez les deux à la sauce. Chauffez quelques secondes en remuant bien.
Servez immédiatement les pâtes aux sardines arrosées d'un filet d'huile d'olive.

Pour 4 personnes

pâtes au potiron et à la sauge

italie

Les pâtes fraîches maison sont tellement meilleures que celles du commerce qu'il est intéressant de les confectionner soi-même ; une tâche extrêmement simple si l'on utilise une machine à pâtes. Moyennant un minimum de pratique, vous obtiendrez des feuilles de pâte très fines et d'excellentes pâtes.

1 Mettez les dés de potiron dans un plat à gratin avec l'ail, la sauge et l'huile, salez et poivrez. Couvrez de papier d'aluminium et faites cuire le potiron pendant 20 minutes dans un four préchauffé à 200 °C/th. 6, jusqu'à ce qu'il soit fondant. Transférez dans un saladier, écrasez bien et laissez refroidir.

2 Incorporez la ricotta et le parmesan à la purée de potiron en battant avec une fourchette, salez et poivrez.

3 Divisez la pâte en quatre morceaux et, avec la machine à pâtes, façonnez de longues et fines bandes. Découpez chaque bande en carrés de 8 x 8 cm. Déposez une cuillère de farce au centre de chaque carré. Humectez les bords et pliez les carrés en deux dans la diagonale pour former des triangles. Transférez sur un torchon fariné (à ce stade, les pâtes peuvent être congelées, il suffira ensuite d'augmenter le temps de cuisson de 5 minutes environ).

4 Pour préparer la sauce, faites fondre le beurre avec la sauge et le poivre jusqu'à ce qu'il brunisse légèrement. Réservez au chaud.

5 Pendant ce temps, portez à ébullition une grande casserole d'eau légèrement salée, ajoutez les pâtes farcies et faites-les cuire pendant 2-3 minutes une fois que l'eau a recommencé à bouillir. Servez-les pâtes aromatisées de beurre à la sauge, arrosées de jus de citron et parsemées de parmesan.

Pour 4 personnes

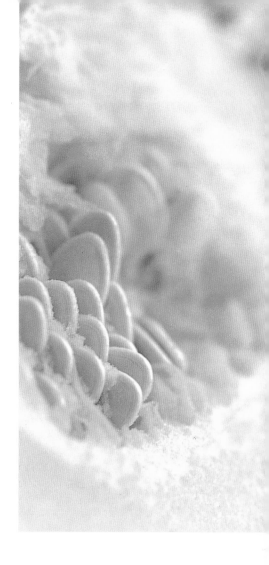

250 g de chair de potiron

1 gousse d'ail écrasée

2 brins de sauge

2 cuill. à soupe d'huile d'olive vierge

75 g de ricotta

25 g de parmesan fraîchement râpé

½ portion de pâte (voir page 142)

sel et poivre

Sauce :

75 g de beurre

2 cuill. à soupe de sauge hachée

poivre

Pour servir :

jus de citron, parmesan râpé

pâtes aux fruits de mer

espagne

Les Espagnols cuisinent plusieurs mets de pâtes ; originaire de Catalogne, celui-ci utilise une variété de pâtes courtes et fines, de type vermicelle, appelées fideus. Les pâtes ont été introduites en Catalogne par les Maures et la méthode de cuisson diffère de la méthode italienne. En Espagne, les pâtes ne se mangent jamais al dente *mais cuisent longtemps afin de devenir très moelleuses, souvent dans un fumet de poisson ou de fruits de mer parfumé au safran. Si vous ne trouvez pas de fideus, remplacez-les par des capellini que vous coupez en morceaux de 5 cm de long.*

500 g de queue de lotte

4 cuillerées à soupe d'huile d'olive

1 oignon finement haché

4 gousses d'ail finement hachées

500 g de tomates mûres pelées, épépinées et hachées

une pincée de filaments de safran

1,8 l de fumet de poisson (voir page 139)

400 g de pâtes sèches, fideus (pâtes espagnoles de type vermi-celle) ou capellini (pâtes italiennes)

1 kg de petites moules nettoyées

sel et poivre

aïoli (voir page 134), pour servir

1 Lavez et essuyez la queue de lotte puis découpez-la en gros morceaux.

2 Chauffez la moitié de l'huile dans une cocotte et faites revenir l'oignon, l'ail et les tomates pendant 10 minutes. Ajoutez la baudroie, le safran et le fumet de poisson ; portez à ébullition et laissez frémir pendant 5 minutes, puis retirez le poisson et réservez. Poursuivez la cuisson à feu doux pendant 25 minutes.

3 Pendant ce temps, chauffez le reste d'huile dans une sauteuse. Brisez les pâtes en petits morceaux, mettez-les dans l'huile chaude et faites-les dorer à feu doux pendant 5 minutes en remuant constamment.

4 Incorporez progressivement le fumet à la tomate et laissez mijoter, en remuant, jusqu'à ce que les pâtes soient cuites à votre goût. Ajoutez les moules, remuez bien et ajoutez les morceaux de lotte. Poursuivez la cuisson 5-6 minutes jusqu'à ce que les moules soient ouvertes et que le poisson soit cuit. Salez et poivrez, servez avec de l'aïoli.

Pour 4-6 personnes

pilaf d'orzo aux haricots secs et à la menthe

italie

Voilà un pilaf original qui se prépare avec de la menthe fraîche et de l'orzo, des petites pâtes bec d'oiseau de la grosseur d'un grain de riz qui s'achètent dans les épiceries italiennes. Ce mets est excellent accompagné de gambas a la plancha (voir page 65).

1 Chauffez l'huile dans une grande sauteuse et faites revenir oignon, poireaux, ail, cumin et safran pendant 10 minutes environ, jusqu'à ce que les légumes soient fondants.

2 Ajoutez les pâtes et faites revenir le tout 1 minute, jusqu'à ce que les grains soient brillants. Ajoutez les brins de menthe et le bouillon puis portez à ébullition. Couvrez et laissez mijoter 15-20 minutes, jusqu'à ce que les pâtes soient cuites et que la majeure partie du liquide soit absorbée.

3 Pendant ce temps, faites blanchir les haricots dans de l'eau bouillante légèrement salée – pendant 3-4 minutes, jusqu'à ce qu'ils soient *al dente*. Égouttez soigneusement.

4 Incorporez les haricots à l'orzo avec les pignons, la menthe et le beurre, salez et poivrez. Couvrez et laissez mijoter 10 minutes. Retirez du feu et laissez reposer une dizaine de minutes avant de servir.

Pour 4 personnes

4 cuillerées à soupe d'huile d'olive

1 oignon finement haché

2 poireaux émincés

2 gousses d'ail écrasées

½ cuillerée à café de cumin en poudre

une pincée de filaments de safran

400 g d'orzo (pâtes bec d'oiseau)

2 brins de menthe

30 cl de bouillon de légumes

250 g de haricots secs

50 g de pignons grillés et hachés

4 cuillerées à soupe de menthe hachée

25 g de beurre

sel et poivre

haricots beurre à la sauce tomate

grèce

1 Égouttez et rincez les haricots, mettez-les dans une grande casserole et couvrez-les d'eau. Portez à ébullition puis laissez frémir pendant 1 ¼ -1 ½ heure, jusqu'à ce qu'ils soient fondants.

2 Égouttez les haricots en réservant le liquide de cuisson. Mettez les haricots dans une cocotte avec l'huile, l'oignon, l'ail, les paillettes de piment, la purée de tomates et l'origan ; salez et poivrez.

3 Ajoutez suffisamment de liquide réservé pour submerger les haricots, couvrez puis faites cuire pendant 1 ½ heure dans un four préchauffé à 150 °C/th. 2. Retirez le couvercle et poursuivez la cuisson 30-45 minutes, jusqu'à ce que le liquide réduise et épaississe. Servez les haricots arrosés d'huile et parsemés d'origan.

Pour 4 personnes

250 g de haricots beurre séchés mis à tremper la veille dans l'eau froide

3 cuillerées à soupe d'huile d'olive

1 petit oignon finement haché

2 gousses d'ail écrasées

une bonne pincée de paillettes de piment séché

600 g de tomates pelées en conserve, hachées

1 cuillerée à soupe de purée de tomates

1 cuillerée à soupe d'origan séché et un peu plus pour servir

sel et poivre

huile d'olive vierge extra, pour servir

socca au parmesan

france

La socca ressemble à une crêpe ; elle se déguste habituellement en milieu de matinée et se cuisine dans des petites échoppes de rue en Provence. Traditionnellement, la socca se cuit sur une grande plaque en fonte, mais ici on la fait frire dans une poêle antiadhésive puis dorer sous un gril. Le parmesan n'est pas authentique mais non moins délicieux.

1 Tamisez la farine de pois chiches dans un saladier et incorporez le sel et le piment de Cayenne. Versez l'eau en un filet continu tout en battant bien pour éviter de faire des grumeaux. Laissez reposer 30 minutes.

2 Chauffez la moitié de l'huile dans une grande poêle antiadhésive. Lorsque l'huile est chaude, versez la pâte et faites cuire la crêpe à feu moyen pendant 3-4 minutes, jusqu'à ce que de grosses bulles apparaissent à la surface.

3 Pendant que la crêpe cuit, chauffez le gril. Dès que la socca semble à point arrosez-la du reste d'huile, parsemez de sel de mer et faites-la griller aussi près que possible de la source de chaleur pendant 3-4 minutes, jusqu'à l'apparition de taches noires, en veillant à ne pas laisser brûler la poignée de la poêle. Retirez du feu et parsemez immédiatement de parmesan râpé. Laissez refroidir, découpez et servez.

Pour 4 personnes

75 g de farine de pois chiches

½ cuillerée à café de sel marin

une bonne pincée de piment de Cayenne

25 cl d'eau

2 cuillerées à soupe d'huile d'olive

un petit peu de parmesan fraîchement râpé, pour servir

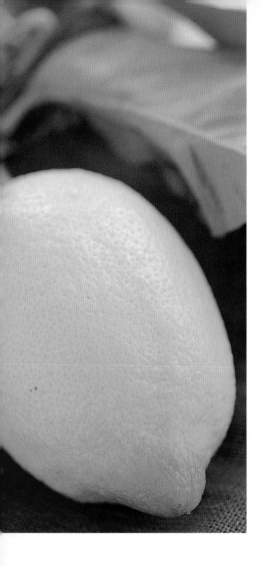

risotto aux poireaux et au citron

italie

L'addition de laurier à ce risotto n'est pas vraiment authentique, mais j'apprécie beaucoup le parfum qu'il lui donne. Ce mets est parfait pour accompagner le poisson et les coquillages grillés.

1 Faites fondre le beurre dans une sauteuse et faites revenir l'oignon, l'ail et les poireaux pendant 10 minutes environ, jusqu'à ce qu'ils soient fondants. Ajoutez le riz et le laurier puis remuez pendant 1 minute. Ajoutez le vermouth et laissez réduire de moitié.

2 Pendant ce temps, chauffez le bouillon dans une casserole jusqu'au point de frémissement. Ajoutez peu à peu le bouillon au riz, une louche à la fois, en remuant constamment jusqu'à ce que le riz soit moelleux mais toujours *al dente*.

3 Ajoutez le jus et le zeste de citron, salez et poivrez, remuez pendant 5 minutes. Ajoutez le mascarpone et le parmesan, remuez, couvrez et laissez reposer le risotto quelques minutes. Servez avec du parmesan râpé.

Pour 4 personnes

50 g de beurre

1 oignon finement haché

2 gousses d'ail écrasées

2 poireaux nettoyés et émincés

250 g de riz à risotto

6 feuilles de laurier écrasées

15 cl de vermouth sec

1-1,2 l de bouillon de volaille
(voir page 139) ou de légumes

jus et zeste d'un gros citron

50 g de mascarpone

50 g de parmesan fraîchement
râpé, et un peu plus pour servir

sel et poivre

risotto aux petits pois et aux crevettes

italie

500 g de crevettes crues

125 g de beurre

1 oignon finement haché

2 gousses d'ail écrasées

250 g de riz à risotto

400 g de petits pois écossés

15 cl de vin blanc sec

1,5 l de bouillon de légumes

4 cuillerées à soupe de menthe hachée

sel et poivre

L'association de petits pois frais et de crevettes contribue à faire de ce risotto un mets savoureux. Les Italiens ne mettent pas de parmesan dans un plat contenant des fruits de mer.

1 Décortiquez les crevettes en réservant les têtes et les carapaces. Nettoyez les crevettes, rincez-les et essuyez-les. Lavez les têtes et les carapaces et essuyez-les.

2 Faites fondre la moitié du beurre dans une grande sauteuse, ajoutez têtes et carapaces et faites-les rissoler pendant 3-4 minutes. Passez le beurre et remettez-le dans la sauteuse.

3 Ajoutez 25 g de beurre dans la sauteuse et faites fondre oignon et ail à feu doux pendant 5 minutes. Ajoutez le riz et remuez pendant 1 minute jusqu'à ce que les grains soient brillants. Ajoutez petits pois et vin ; portez à ébullition afin que le liquide réduise de moitié.

4 Pendant ce temps-là, faites frémir le bouillon dans une autre casserole et commencez à l'ajouter au riz, une louche après l'autre, en remuant ; le riz doit être moelleux mais encore craquant et le liquide en partie absorbé. Comptez environ 20 minutes.

5 Faites fondre le reste de beurre et revenir les crevettes pendant 3-4 minutes, puis incorporez-les au riz avec leur jus de cuisson et la menthe. Salez et poivrez. Couvrez et laissez reposer 5 minutes. Servez le risotto très chaud.

Pour 6 personnes

riz aux calmars

espagne

Ce plat est très apprécié en Espagne, il figure sur les cartes de nombreux restaurants de fruits de mer. Par chance, il n'est plus nécessaire aujourd'hui de retirer les poches d'encre de chaque calmar (un travail long et fatiguant), car on peut acheter de petits sachets d'encre chez la plupart des poissonniers. Pour cette recette, deux sachets suffisent.

1 Faites fondre la moitié du beurre dans une grande sauteuse et laissez rissoler les calmars pendant 3-4 minutes. Incorporez le reste du beurre, ajoutez l'oignon, l'ail et les tomates et faites revenir le tout à feu doux pendant 5 minutes.

2 Ajoutez le riz et remuez pendant 1 minute, jusqu'à ce que les grains soient brillants. Versez le vin et portez à ébullition jusqu'à ce que le jus réduise de moitié.

3 Incorporez les calmars et tout le bouillon, salez et poivrez. Portez à ébullition et laissez mijoter, sans couvrir, pendant 15-20 minutes ; le riz doit être moelleux. Ne remuez pas. Retirez du feu, couvrez et laissez reposer 4-5 minutes. Goûtez, modifiez l'assaisonnement si nécessaire et servez chaud.

Pour 4 personnes

50 g de beurre

400 g de petits calmars nettoyés et coupés en dés

1 gros oignon finement haché

4 gousses d'ail écrasées

2 tomates mûres, pelées, épépinées et hachées

250 g de riz rond d'Espagne (ou riz à risotto)

15 cl de vin blanc sec

2 sachets d'encre de calmar (voir ci-contre)

60 cl de fumet de poisson (voir page 139)

sel et poivre

pilaf de pois chiches et de riz

turquie

Les pilafs sont très répandus au Moyen-Orient et en Afrique du Nord. L'ingrédient de base varie selon les pays ; on trouve du riz, du boulgour, du couscous ou des pois chiches.

1 Égouttez les pois chiches, mettez-les dans une cocotte et couvrez-les d'eau froide. Portez à ébullition et laissez frémir, sans couvrir, pendant 1 h-1 ½ h, jusqu'à ce qu'ils soient fondants. Égouttez-les en réservant 4 cuillerées à soupe du liquide de cuisson.

2 Faites cuire le riz jusqu'à ce qu'il soit moelleux, égouttez et réservez.

3 Chauffez l'huile dans une grande sauteuse, faites revenir oignons, ail, poireau, épices, tomates, jus de citron et le liquide de cuisson réservé, couvrez et laissez frémir 15 minutes.

4 Incorporez les pois chiches et le riz et réchauffez le tout pendant 5 minutes. Retirez du feu et laissez reposer une dizaine de minutes.

5 Faites fondre le beurre et dorer le reste des oignons. Incorporez-les au pilaf et herbes.

Pour 6 personnes

125 g de pois chiches secs mis à tremper la veille

250 g de riz brun

4 cuillerées à soupe d'huile d'olive vierge extra

2 oignons émincés

1 gousse d'ail finement hachée

1 poireau émincé

1 piment rouge épépiné et haché

1 cuillerée à café de sel

½ cuillerée à café de poivre

½ cuillerée à café de coriandre, de cumin et de cannelle en poudre

4 olivettes coupées en dés

jus d'un demi-citron

25 g de beurre

2 cuillerées à soupe de persil et de coriandre hachés

couscous aux fruits et aux amandes, brochettes de poulet

maroc

Un pilaf avec du couscous comme ingrédient de base suggère une recette d'origine marocaine. Ce plat, qui est un repas complet à lui tout seul, est inspiré de la cuisine et des saveurs nord-africaines.

1 Découpez le poulet en bandes longues et minces, mettez-les dans un plat et ajoutez l'huile d'olive, l'ail, les épices et le jus de citron. Remuez bien puis couvrez et laissez mariner pendant 2 heures. Enfilez les bandes de poulet sur 8 petites brochettes en bois préalablement mises à tremper dans l'eau.

2 Pour préparer le couscous, chauffez la moitié de l'huile dans une sauteuse et faites revenir l'oignon, l'ail et les épices pendant 5 minutes. Incorporez les fruits secs et les amandes puis retirez du feu.

3 Pendant ce temps, versez le bouillon sur le couscous, couvrez d'un torchon et laissez gonfler pendant 8-10 minutes, jusqu'à absorption du liquide. Incorporez le reste d'huile et le mélange de fruits secs et d'amandes, ajoutez le jus de citron et la coriandre, salez et poivrez.

4 Pendant que le couscous est en train de gonfler, faites griller les brochettes de poulet 4-5 minutes de chaque côté sous un gril de four ou sur un gril en fonte.
Servez les brochettes avec le couscous, le tout garni de graines de grenade, de quartiers de citron et de brins de coriandre.

Pour 4 personnes

500 g de blancs de poulet fermier

2 cuillerées à soupe d'huile d'olive

2 gousses d'ail écrasées

½ cuillerée à café de cumin, de curcuma et de paprika en poudre

2 cuillerées à café de jus de citron

Couscous :

4 cuill. à soupe d'huile d'olive vierge

1 petit oignon finement haché

1 gousse d'ail écrasée

1 cuillerée à café de cumin, cannelle, poivre et gingembre

50 g de dattes séchées, hachées

50 g d'abricots séchés hachés

50 g d'amandes mondées, grillées

60 cl de bouillon de légumes

175 g de semoule pour couscous

1 cuillerée à soupe de jus de citron

2 cuillerées à soupe de coriandre

sel et poivre

Pour garnir :

graines de la moitié d'une grenade

quartiers de citrons, brins de coriandre

petits pains, tartes salées

et pizza

En Méditerranée, les fours extérieurs, introduits par les Romains, existent depuis le IIe siècle av. J.-C. ; à cette même époque, on voit apparaître des plats classiques comme les pizzas et les tartes salées. À l'origine, les fours étaient collectifs, un grand four subvenant aux besoins de tout un village. Aujourd'hui, ce type de four communautaire est encore en usage dans de nombreuses régions. Le pain, sous toutes ses formes, est un aliment très répandu, des variétés sans levain consommées en Turquie et au Moyen-Orient jusqu'aux pains aux olives et au levain d'Espagne et de France.

eliotes

chypre

2 ½ cuillerées à café de levure
sèche de boulanger

30 cl d'eau tiède

1 cuillerée à café de sucre semoule

500 g de farine blanche

125 g de farine complète

2 cuillerées à café de menthe
et d'origan séchés

1 ½ cuillerée à café de sel marin

3 cuillerées à soupe d'huile d'olive
vierge extra

200 g d'olives kalamata,
dénoyautées

Je vis depuis de nombreuses années dans le voisinage d'une importante communauté chypriote turque, et l'une des spécialités de son cru, le petit pain aux olives, est un véritable régal dont je ne parviens pas à me lasser. Voici ma version.

1 Faites dissoudre la levure dans l'eau tiède, incorporez le sucre et laissez reposer 10 minutes dans un local chaud.

2 Tamisez la farine dans le récipient mélangeur d'un robot ménager et ajoutez les herbes et le sel. Incorporez petit à petit le mélange eau-levure et l'huile afin d'obtenir une pâte souple ; ajoutez un peu d'eau tiède si nécessaire. Pétrissez la pâte 8-10 minutes jusqu'à ce qu'elle soit élastique.

3 Hachez finement 25 g d'olives et émincez le reste. Transférez la pâte sur une surface légèrement farinée et incorporez les olives hachées. Modelez la pâte en une boule, placez celle-ci dans un saladier huilé, couvrez de film étirable et laissez lever pendant une heure au moins, jusqu'à ce qu'elle ait doublé de volume.

4 Pétrissez à nouveau la boule, divisez-la en 8 et façonnez chaque morceau en un disque aplati. Déposez une cuillerée d'olives émincées au centre de chaque disque, relevez les bords, pincez-les ensemble et formez un petit pain.

5 Posez les petits pains côté « couture » dessous sur deux plaques de four préalablement graissées, parsemez de sel marin et faites cuire pendant 20-25 minutes dans un four préchauffé à 220 °C/th. 7, jusqu'à ce qu'ils soient dorés et bien gonflés. Laissez refroidir les petits pains sur une grille à pâtisserie et dégustez-les encore chauds.

Pour 8 personnes

pissaladière

france

1 part de pâte à pizza
(voir page 143)

25 g de beurre

1 kg de gros oignons, émincés

2 gousses d'ail écrasées

1 cuillerée à soupe de thym haché

1 cuillerée à café d'origan séché

2 cuillerées à soupe de câpres
au sel, rincées et séchées

6 anchois au sel, lavés et hachés

quelques olives niçoises

sel et poivre

crème fraîche ou fromage
de chèvre comme un banon
de Provence, pour servir

L'Italie a ses pizzas et la Provence ses pissaladières, originaires de Nice. Elles sont garnies d'oignons caramélisés, de filets d'anchois et d'olives. Comme pour beaucoup de plats, il n'existe pas une seule et unique recette. Certains suggèrent d'utiliser un fond de tarte, d'autres une pâte à pizza. Les uns étalent de la purée de tomates sur la pâte, d'autres utilisent de la crème et des œufs. Cette recette se prépare avec de la pâte à pizza.

1 Préparez une pâte à pizza et laissez-la reposer 1 heure. Partagez-la en deux. Enveloppez une des moitiés dans du film étirable préalablement huilé et congelez.

2 Faites fondre le beurre dans une grande sauteuse et faites revenir les oignons, l'ail, le thym et l'origan pendant 25 minutes environ, jusqu'à ce qu'ils soient caramélisés. Salez et poivrez, retirez du feu et laissez refroidir.

3 Chauffez une grande plaque à pâtisserie dans un four préchauffé à 230 °C/th. 8. Sur un plan de travail fariné, abaissez la pâte levée en un rond de 33 cm de diamètre, piquez le fond et transférez sur une seconde plaque à pâtisserie.

4 Garnissez la pâte de mélange aux oignons puis parsemez de câpres, d'anchois et d'olives et enfournez la pissaladière sur la plaque préchauffée. Faites-la cuire 15-20 minutes, jusqu'à obtention d'une pâte croustillante. Servez à température ambiante avec du fromage de chèvre ou un peu de crème fraîche.

Pour 2-4 personnes

youra

turquie

500 g de farine blanche

250 g de farine complète

2 cuillerées à café de sel

1 cuillerée à café de levure
chimique

50 cl d'eau chaude

1 cuillerée à soupe d'huile d'olive
vierge extra

1 Tamisez les farines dans le récipient mélangeur d'un robot ménager. Alors que le robot est en marche, incorporez la levure, l'eau et l'huile afin d'obtenir une pâte souple. Pétrissez-la pendant 8-10 minutes.

2 Transférez la pâte dans un saladier huilé, couvrez d'un torchon et laissez-la lever dans un endroit chaud pendant 1 heure environ, jusqu'à ce qu'elle ait doublé de volume.

3 Partagez la pâte en huit morceaux et abaissez-les sur une surface farinée en une forme ovale (de la même taille que les pitas du commerce); badigeonnez d'huile et laissez reposer 10 minutes.

4 Chauffez un gril en fonte ou une poêle à fond épais et faites cuire les galettes 2 minutes de chaque côté. Servez immédiatement.

Pour 8 personnes

pizza margherita

italie

C'est une pizza des plus classiques mais j'ai décidé de l'inclure dans ce livre, premièrement parce que je l'adore, et deuxièmement, parce qu'elle se prête à de nombreuses interprétations et accepte toutes sortes d'ingrédients comme des câpres, des anchois, du thon ou des légumes grillés.

1 Préparez la pâte à pizza.

2 Pour confectionner la garniture, mettez la chair des tomates dans un saladier et incorporez le basilic, l'ail, l'origan, le piment et l'huile d'olive. Couvrez et laissez mariner une trentaine de minutes.

3 Préchauffez le four à 240 °C/th. 9 et glissez une plaque à pâtisserie en son milieu pour la faire chauffer.

4 Divisez la pâte en quatre parts et abaissez-en une sur un plan de travail fariné en formant un rond de 23 cm de diamètre environ. Transférez la pâte sur une seconde plaque à pâtisserie ; garnissez-la avec un quart de la sauce tomate, un quart de mozzarella et un quart du parmesan, salez et poivrez.

5 Enfournez délicatement la pizza sur la plaque préchauffée et faites-la cuire 10-12 minutes ; la pâte doit être cuite et la garniture former de petites bulles.

6 Préparez la seconde pizza alors que la première est en train de cuire et ainsi de suite. Mangez les pizzas dès qu'elles sont prêtes.

Pour 4 personnes

Variante : divisez la pâte en deux et abaissez chaque morceau en un rond de 33 cm de diamètre, garnissez et enfournez pendant 15-18 minutes. Chaque pizza est prévue pour deux personnes.

1 part de pâte à pizza
(voir page 143)

Garniture :

500 g d'olivettes bien mûres, pelées, épépinées et coupées en dés

2 cuillerées à soupe de basilic haché

2 gousses d'ail écrasées

½ cuillerée à café d'origan séché

une pincée de paillettes de piment séché

1 cuillerée à soupe d'huile d'olive

300 g de mozzarella râpée

25 g de parmesan fraîchement râpé

sel et poivre

pizza aux oignons, au gorgonzola et aux noix

italie

1 part de pâte à pizza
(voir page 143)

salade de roquette assaisonnée,
pour garnir (facultatif)

Garniture :

3 oignons rouges

2 cuillerées à soupe d'huile d'olive
vierge extra

2 cuillerées à soupe de sauge
hachée

1 cuillerée à soupe de vinaigre
balsamique

200 g de gorgonzola émietté

4 cuillerées à soupe de crème
fraîche

50 g de noix décortiquées,
grossièrement hachées

poivre

Dans cette recette, la saveur acidulée du gorgonzola compense la douceur des oignons rissolés tandis que les noix ajoutent une note insolite. Il est important de consommer les pizzas dès leur sortie du four ; si vous ne disposez que d'un seul four, faites-les cuire l'une après l'autre et dégustez-les en plusieurs étapes.

1 Pendant que la pâte à pizza lève, préparez la garniture. Détaillez chaque oignon en huit quartiers, mettez-les dans un plat à gratin et arrosez-les d'huile. Parsemez de sauge (la moitié), salez et poivrez. Glissez le plat dans un four préchauffé à 220 °C/th. 7 et faites cuire les oignons pendant 20-30 minutes, jusqu'à ce qu'ils soient moelleux et caramélisés. Ajoutez le vinaigre et poursuivez la cuisson 5 minutes. Laissez refroidir.

2 Montez la température du four à 240 °C/th. 9 et glissez une plaque à pâtisserie sur la grille intermédiaire. Travaillez ensemble le gorgonzola et la crème fraîche.

3 Divisez la pâte à pizza en quatre et, sur un plan de travail fariné, abaissez un premier morceau en un rond de 23 cm de diamètre. Transférez sur une seconde plaque à pâtisserie ; garnissez avec le quart des oignons, du mélange au fromage, du reste de sauge et des noix. Salez et poivrez, arrosez d'huile d'olive.

4 Enfournez la pizza sur la plaque à pâtisserie préchauffée. Laissez cuire 10-12 minutes, jusqu'à ce que le fond soit croustillant et le dessus fondu. Préparez la seconde pizza pendant que la première cuit, et ainsi de suite.

5 Servez les pizzas accompagnées d'une salade de roquette si vous le souhaitez.

Pour 4 personnes

Variante : divisez la pâte en deux et abaissez chaque moitié en un rond de 33 cm de diamètre. Garnissez et enfournez pendant 15-18 minutes. Chaque pizza est prévue pour deux personnes.

pains à la semoule
espagne

Levain :

30 cl d'eau chaude

½ cuillerée à café de levure sèche de boulanger

400 g de farine blanche

½ cuillerée à café de sucre

Pâte à pain :

½ cuillerée à café de levure sèche de boulanger

1 l d'eau chaude

1 cuillerée à café de sucre

250 g de semoule de blé dur

½ cuillerée à café de sucre

Cette pâte à pain sera très humide mais cela n'a pas d'importance. On ne la pétrit presque pas ; on mélange simplement les ingrédients en les remuant bien et on laisse lever la pâte. Farinez abondamment votre plan de travail avant de tourner votre pâte.

1 Quatre jours avant de faire votre pain, préparez le levain. Mettez l'eau chaude dans un bol et incorporez la levure de boulanger pour qu'elle se dissolve. Ajoutez environ 4 cuillerées à soupe de farine et le sucre ; laissez reposer une dizaine de minutes dans un endroit chaud, jusqu'à formation d'une écume. Incorporez ce mélange au reste de farine, couvrez de film étirable et laissez reposer au moins 3 jours dans un endroit chaud.

2 Commencez à préparer la pâte à pain : faites dissoudre la levure de boulanger dans 15 cl d'eau chaude, ajoutez le sucre et 4 cuillerées à soupe de farine puis laissez reposer pendant 10 minutes environ, jusqu'à formation d'une écume. Transférez dans un grand saladier et incorporez petit à petit 125 g du levain (réfrigérez le reste et utilisez-le au moment voulu), le reste d'eau chaude, le reste de farine, la semoule et le sel jusqu'à obtention d'une pâte grumeleuse et légèrement collante.

3 Transférez la pâte dans un saladier préalablement graissé.

4 Déposez la pâte sur un plan de travail fariné, prélevez-en 125 g environ et ajoutez-la au levain. Coupez le reste de pâte en deux et façonnez chaque moitié en un disque plat. Abaissez-le au rouleau, tournez-le de 180 °C et aplatissez-le à nouveau au rouleau. Transférez sur une plaque à pâtisserie préalablement farinée, parsemez de semoule et couvrez d'un torchon propre. Laissez lever la pâte pendant 1-2 heures, jusqu'à ce qu'elle ait doublé de volume. Striez la surface au couteau et faites cuire ces pains pendant 30 minutes au four préchauffé à 230 °C/th. 8. Laissez refroidir sur une grille.

Pour deux miches rondes

bastilla au poulet et aux patates douces

maroc

La bastilla est un mets traditionnel marocain. Achetez de grandes feuilles de pâte filo, que vous trouverez dans les épiceries orientales ou certains supermarchés.

1 Mettez le poulet dans une cocotte avec l'oignon, l'ail, le gingembre, la cannelle, le piment, le curcuma, le safran, la coriandre ainsi qu'une cuillerée à café de sel et de poivre. Ajoutez suffisamment d'eau pour couvrir le poulet, portez à ébullition et laissez frémir pendant 45 minutes-1 heure, jusqu'à ce que la volaille soit cuite.

2 Pendant ce temps, faites cuire les patates douce à la vapeur pendant 10-15 minutes, jusqu'à ce qu'elles soient fondantes.

3 Retirez le poulet de la cocotte ; dès qu'il a un peu refroidi, désossez-le, découpez la chair et jetez la peau.

4 Retirez les bâtons de cannelle et faites bouillir le bouillon à feu vif pendant 40-45 minutes, jusqu'à ce qu'il reste environ 30 cl de liquide et que le mélange à l'oignon soit collant. Égouttez et réservez le liquide ; laissez le mélange aux oignons dans la cocotte.

5 Mélangez les œufs et le jus de citron puis incorporez ce mélange au contenu de la cocotte. Faites cuire à feu doux jusqu'à ce que la sauce ait un aspect un peu caillé.

6 Chauffez 25 g de beurre et faites rissoler les amandes en veillant à ne pas laisser brûler le beurre. Transférez les amandes dans un robot ménager, ajoutez le jus de cuisson et mixez brièvement avec le sucre glace.

7 Faites fondre le reste du beurre. Étalez deux feuilles de pâte filo sur un plan de travail fariné en formant un carré de 35 cm de côté, badigeonnez de beurre. Badigeonnez également de beurre les quatre feuilles restantes et placez-les sur les deux premières ; vous obtiendrez six épaisseurs. Transférez cette pâte dans un moule à tarte à fond amovible de 30 cm de diamètre, en laissant dépasser les bords.

8 Dans un grand saladier, mélangez tous les ingrédients de la farce et assaisonnez de sel et de poivre. Garnissez la pâte de ce mélange, rabattez les bords vers le centre pour recouvrir la farce. Badigeonnez le dessus de la bastilla de beurre fondu, transférez dans un four préchauffé à 200 °C/th. 6 et faites cuire la bastilla pendant 30 minutes, jusqu'à ce qu'elle soit dorée. Réchauffez le reste de bouillon réduit et réservez.

9 Saupoudrez la bastilla de sucre glace additionné de cannelle, découpez-la et servez chaque part arrosée d'un peu de bouillon.

Pour 6 personnes

un poulet fermier de 1,5 kg

1 oignon haché

4 gousses d'ail pelées

2 cuillerées à café de gingembre frais râpé

2 bâtons de cannelle

1 piment rouge épépiné et haché

1 cuillerée à café de curcuma en poudre

une bonne pincée de filaments de safran

4 brins de coriandre

500 g de patates douces coupées en dés

4 œufs légèrement battus

2 cuillerées à soupe de jus de citron

125 g de beurre

200 g d'amandes mondées

2 cuillerées à soupe de sucre glace

6 grandes feuilles de pâte filo (voir page 8)

sel et poivre

sucre glace additionné d'un peu de cannelle, pour servir

piadini aux crevettes pimentées et salsa verde

italie

À l'image des bruschetta et des crostini, les piadini, petits pains italiens plats, servent de support à une vaste sélection de garnitures. La cuisson s'effectue sur un gril en fonte.

1 Tamisez la farine et le sel dans un saladier, faites une fontaine au centre et incorporez l'huile et l'eau. Mélangez les ingrédients pour former une pâte souple. Pétrissez la pâte sur une surface légèrement farinée, puis enveloppez-la dans du film étirable et laissez-la reposer 30 minutes.

2 Pendant ce temps, pelez et nettoyez les crevettes. Lavez-les et essuyez-les soigneusement.

3 Divisez la pâte en quatre parts et abaissez chacune en un rond de 18 cm de diamètre.

4 Chauffez un gril en fonte ou une poêle à fond épais. Faites griller les piadini, un à un, pendant une minute d'un côté, retournez et poursuivez la cuisson 30 secondes. Réservez au chaud dans un four à basse température pendant que vous faites cuire le reste.

5 Pour préparer la garniture, chauffez l'huile d'olive dans une sauteuse, ajoutez les crevettes et faites-les revenir 1-2 minutes, jusqu'à ce qu'elles soient cuites à point. Ajoutez un peu de jus de citron, salez et poivrez puis répartissez les crevettes entre les quatre piadini. Garnissez d'une cuillerée de salsa verde ou de pesto. Parsemez de ciboulette ciselée et de feuilles de basilic ; servez aussitôt.

Pour 4 personnes

125 g de farine

une bonne pincée de sel

1 cuillerée à soupe d'huile d'olive

8 cl d'eau tiède

salsa verde (voir page 136)
ou pesto (voir page 138), pour servir

Garniture :

16 grosses crevettes crues

2 cuillerées à soupe d'huile d'olive vierge extra

1 gousse d'ail émincée

½ cuillerée à café de paillettes de piment séché

jus de citron

sel et poivre

Pour garnir :

brins de ciboulette

feuilles de basilic

desserts

Les peuples de la Méditerranée partagent un enthousiasme immodéré pour toutes sortes de friandises et mets sucrés qu'ils ne consomment pas nécessairement en dessert – un repas se termine souvent par un plateau de fruits frais juste sortis du réfrigérateur et servis en tranches. Bon nombre de douceurs se dégustent au fil de la journée, comme les pâtisseries miniatures en pâte filo de Grèce et de Turquie. Les Espagnols apprécient les flans ou les crèmes aux œufs tandis que les Italiens sont réputés pour l'extraordinaire diversité de leurs sorbets.

glace au chocolat
et au romarin

italie

60 cl de crème fraîche épaisse

15 cl de lait

pulpe d'une gousse de vanille

4 brins de romarin, écrasés,
et quelques autres pour garnir

5 jaunes d'œufs

125 g de sucre semoule

125 g de chocolat noir râpé

Les Italiens adorent les glaces, et cette riche crème glacée au chocolat parfumée au romarin offre une saveur délicieusement exotique. Bien que cette association paraisse quelque peu étrange, les deux arômes réussissent un accord parfait.

1 Chauffez la crème fraîche, le lait, la vanille et les brins de romarin dans une casserole jusqu'au seuil de l'ébullition. Retirez du feu et laissez infuser 10 minutes. Prélevez les brins de romarin et réservez.

2 Battez ensemble les jaunes d'œuf et le sucre jusqu'à obtention d'une crème pâle puis incorporez délicatement le mélange lait-crème fraîche tout en continuant à battre. Passez la crème ainsi obtenue dans la casserole et chauffez à feu doux, en remuant constamment, jusqu'à ce que la crème devienne assez épaisse pour recouvrir le dos d'une cuiller en bois. Veillez à ne pas laisser bouillir la crème.

3 Retirez du feu et incorporez immédiatement le chocolat, remuez jusqu'à ce qu'il soit fondu. Transférez dans un récipient en plastique, ajoutez les brins de romarin et laissez refroidir complètement. Retirez le romarin.

4 Faites geler la crème, soit dans une sorbetière en suivant le mode d'emploi, soit au freezer; battez la crème au bout d'une heure afin d'éliminer les éventuels cristaux de glace. Retirez la crème glacée du freezer 15-20 minutes avant de servir afin qu'elle se ramollisse légèrement. Garnissez de brins de romarin.

Pour 4 personnes

gâteau aux noix
et au sirop de café
grèce

6 œufs, blancs et jaunes séparés

125 g de miel liquide

50 g de noix décortiquées grillées
et moulues

50 g de farine

1 cuillerée à café de levure
chimique

2 cuillerées à café de cannelle
en poudre

Sirop de café :

30 cl de café fort, frais

125 g de sucre semoule

Pour servir :

yaourt à la grecque

miel liquide

En Grèce, ce gâteau aux noix se sert nappé de miel. Cette version au sirop de café n'est pas authentiquement grecque, mais le sirop ajoute une saveur délicieuse et unique.

1 Graissez et chemisez un moule à manqué de 23 cm de diamètre. Battez ensemble les jaunes d'œuf, le miel et le sucre jusqu'à obtention d'une crème pâle et onctueuse. Mélangez les noix, la farine, la levure et la cannelle et incorporez le tout à la crème.

2 Montez les blancs en neige ferme, incorporez-en une cuillerée à la pâte du gâteau puis ajoutez le reste en remuant délicatement. Transférez la pâte dans le moule et faites cuire le gâteau au four préchauffé à 180 °C/th. 4 pendant 30 minutes, jusqu'à ce qu'il ait bien gonflé et se détache légèrement des parois du moule.

3 Pendant la cuisson du gâteau, chauffez le café dans une petite casserole, en remuant jusqu'à dissolution du sucre. Faites bouillir pendant 3-4 minutes jusqu'à obtention d'un sirop.

4 Laissez refroidir le gâteau dans son moule pendant 5 minutes, puis transférez-le sur une grande assiette. Piquez-le partout et nappez-le de sirop de café. Laissez-le refroidir complètement, découpez-le et servez-le nappé de miel et accompagné de yaourt à la grecque.

Pour 8 personnes

gâteau à l'orange et aux amandes

espagne

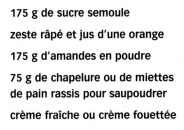

Ce dessert est inspiré d'un gâteau espagnol classique à l'orange. Au sortir du four, on laisse refroidir la génoise aux amandes avant de la napper d'un sirop aromatisé à l'orange et à la cardamome. L'addition d'épices dénote une influence mauresque, typique de nombreux mets espagnols.

1 Graissez et chemisez un moule à manqué de 23 cm de diamètre. Dans une jatte, battez ensemble les jaunes d'œuf, le sucre, le jus et le zeste d'orange jusqu'à obtention d'une pommade pâle, puis incorporez les amandes et la chapelure. À ce stade, on obtient un mélange assez épais.

2 Montez les blancs en neige ferme. Incorporez-les à la pâte aux amandes et à l'orange, sans les casser, en remuant délicatement jusqu'à obtention d'un mélange homogène. Transférez cette pâte dans le moule et faites cuire le gâteau 35-40 minutes dans un four préchauffé à 180 °C/th. 4. Il doit être bien gonflé et souple au toucher. Laissez refroidir 5 minutes puis démoulez-le sur une grille pour le laisser refroidir complètement.

3 Pour confectionner le sirop, chauffez le jus d'orange, la cardamome et le sucre dans une petite casserole jusqu'à dissolution du sucre, puis portez à ébullition pendant 3 minutes ; on doit obtenir un sirop. Piquez le dessus du gâteau avec une brochette et nappez-le de sirop. Servez le gâteau avec de la crème fraîche ou de la crème fouettée.

Pour 8 personnes

6 œufs, jaunes et blancs séparés

175 g de sucre semoule

zeste râpé et jus d'une orange

175 g d'amandes en poudre

75 g de chapelure ou de miettes de pain rassis pour saupoudrer

crème fraîche ou crème fouettée

Sirop :

jus de 3 oranges

3 gousses de cardamome, écrasées

50 g de sucre semoule

salade d'oranges aux dattes

tunisie

1 Versez le jus d'une des oranges dans un bol et incorporez le jus de citron, l'eau de fleur d'oranger, le sucre glace et la cannelle.

2 Pelez le reste des oranges et détaillez-les en fines tranches, en travaillant au-dessus du bol pour récupérer le jus.

3 Disposez les tranches d'oranges dans un grand plat. Retirez les grains de grenade et éparpillez-les sur les oranges ainsi que les morceaux de dattes. Arrosez de sauce et servez la salade saupoudrée de sucre glace et de cannelle en poudre.

Pour 4 personnes

7 oranges

jus d'un citron

2 cuillerées à soupe d'eau de fleur d'oranger

1 cuillerée à soupe de sucre glace

1 cuill. à café de cannelle en poudre

½ grenade

125 g de dattes dénoyautées et émincées

panna cotta au coulis de myrtilles

italie

Cette mousse italienne parfumée à la vanille doit contenir suffisamment de gélatine pour se gélifier et conserver une texture un peu tremblotante. Le coulis de myrtilles n'est pas une spécialité italienne, mais il se marie à merveille à ce dessert. L'Amaretto di Saronno est une liqueur italienne aux amandes.

1 Chauffez 45 cl de crème fraîche dans une casserole avec la vanille, le zeste de citron et le sucre presque jusqu'au seuil de l'ébullition, puis passez ce mélange à travers un fin tamis.

2 Faites tremper la gélatine dans la liqueur pendant une minute puis chauffez à feu doux jusqu'à ce qu'elle soit dissoute. Veillez à ne pas faire bouillir la gélatine. Incorporez un peu de crème à la vanille au contenu de la casserole et ajoutez le mélange obtenu à la crème à la vanille.

3 Fouettez le reste de crème jusqu'à formation de pics moelleux et incorporez-la à la crème vanillée refroidie. Versez la mousse dans des moules de 15 cl et réfrigérez pendant 2-3 heures, jusqu'à ce qu'elle soit prise.

4 Mettez les myrtilles, le sucre, le jus de citron et l'eau dans une casserole et chauffez à feu doux jusqu'à ce que les fruits se ramollissent et que le liquide devienne sirupeux. Laissez refroidir.

5 Démoulez les mousses. Immergez brièvement les moules dans l'eau chaude et renversez-les sur des assiettes à dessert puis nappez de coulis de myrtilles.

Pour 8 personnes

60 cl de crème fraîche épaisse

1 gousse de vanille, coupée en deux dans la longueur

4 lanières de zeste de citron

50 g de sucre semoule

1 ½ cuillerée à café de gélatine

2 cuillerées à soupe d'Amaretto di Saronno (liqueur italienne)

Coulis de myrtilles :

250 g de myrtilles

50 g de sucre semoule

un peu de jus de citron

2 cuillerées à soupe d'eau

panforte au chocolat et au gingembre

italie

175 g d'écorces et de fruits confits mélangés, coupés en dés

50 g de gingembre confit, haché

100 g d'amandes mondées

50 g de pignons de pin

50 g de chocolat noir, haché

50 g de farine

25 g de cacao en poudre

1 cuillerée à café de cannelle en poudre

½ cuillerée à café de clous de girofle, de cardamome et de macis en poudre

4 cuillerées à soupe de jus d'orange

125 g de sucre cristallisé

2 cuillerées à soupe de miel liquide

papier de riz, pour tapisser le moule

sucre glace, pour décorer

Le panforte, un pain d'épices riche et moelleux originaire de Sienne, se sert traditionnellement à Noël. Comme c'est un gâteau assez collant, on tapisse le moule d'une feuille de papier de riz pour faciliter le démoulage. Il peut se conserver pendant trois mois enveloppé dans du papier d'aluminium.

1 Graissez un moule à fond amovible de 20 cm de diamètre et tapissez-le de papier de riz.

2 Dans une jatte, mélangez les écorces et les fruits confits, le gingembre, les amandes, les pignons et le chocolat avec la farine, le cacao et les épices.

3 Chauffez le jus d'orange, le sucre et le miel à feu doux dans une petite casserole à fond épais jusqu'à dissolution du sucre, puis augmentez la flamme et portez à ébullition jusqu'à ce que le liquide atteigne la température de 210 °C. Versez ce sirop sur les ingrédients secs en remuant constamment avec une cuiller en bois.

4 Transférez le mélange dans le moule, lissez le dessus à la palette et faites cuire le pain d'épices au four préchauffé à 180 °C/th. 4 pendant 30 minutes environ, jusqu'à ce que des bulles apparaissent sur toute la surface.

5 Laissez refroidir le gâteau dans son moule pendant 5 minutes, puis démoulez-le délicatement et laissez-le refroidir complètement sur une grille. Saupoudrez-le de sucre glace avant de servir.

Pour 8-12 personnes

tarte au citron et aux fraises

france

1 Abaissez la pâte sur un plan de travail légèrement fariné et disposez-la dans un moule à tarte de 25 cm de diamètre. Piquez le fond à la fourchette puis réfrigérez une trentaine de minutes.

2 Tapissez le fond de tarte de papier cuisson, garnissez de légumes secs et faites cuire la pâte à blanc au four préchauffé à 200 °C/th. 6 pendant 10 minutes. Retirez le papier cuisson et les légumes secs et poursuivez la cuisson pendant 10 minutes environ, jusqu'à ce que la pâte soit croustillante et légèrement dorée en bordure. Laissez refroidir et abaissez la température du four à 150 °C/th. 2.

3 Battez ensemble tous les ingrédients composant la garniture, garnissez le fond de tarte et faites cuire la tarte 20-25 minutes, jusqu'à ce que la crème soit ferme. Laissez complètement refroidir la tarte, saupoudrez de sucre glace et servez avec les fraises.

Pour 8 personnes

1 portion de pâte brisée sucrée
(voir page 142)

sucre glace, pour saupoudrer

250 g de fraises mûres équeutées
et coupées en deux, pour servir

Garniture :

3 œufs entiers, plus 1 jaune

45 cl de crème fraîche épaisse

125 g de sucre semoule

15 cl de jus de citron

poires pochées au rosé et coulis de cassis

france

Voilà une manière classique de pocher les poires qui donne un résultat superbe, car les fruits absorbent la couleur du vin. La crème de cassis rehausse délicatement la saveur de ce mets.

1 Mettez le vin, la crème de cassis et le sucre dans une petite casserole et portez lentement à ébullition, en remuant fréquemment pour faire dissoudre le sucre.

2 Ajoutez le zeste de citron et d'orange ainsi que les épices, portez à nouveau à ébullition et immergez délicatement les poires dans ce jus. Laissez frémir en tournant souvent les poires pour qu'elles se colorent de manière uniforme et faites-les cuire 20 minutes, jusqu'à ce qu'elles soient fondantes.

3 Retirez les poires avec une écumoire et mettez-les dans un saladier. Portez le liquide à ébullition et laissez bouillir jusqu'à obtention d'un sirop. Versez celui-ci sur les poires et laissez refroidir. Servez les poires avec un peu de crème fraîche ou de glace à la vanille.

Pour 4 personnes

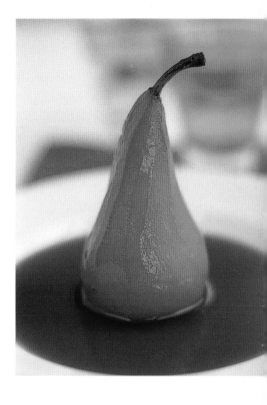

50 cl de rosé de Provence

5 cl de crème de cassis

50 g de sucre semoule

2 lanières de zeste de citron-orange

un peu de jus de citron

2 bâtons de cannelle écrasés

4 clous de girofle

4 grosses poires pelées

crème fraîche ou glace à la vanille

coings au four

grèce

4 petits coings de 250 g chacun
environ

125 g de miel liquide

30 cl de vin rouge

1 gousse de vanille, coupée
en deux dans la longueur

4 clous de girofle

2 fruits de badiane (anis étoilé)

Yaourt au citron :

125 g de yaourt à la grecque

1 cuillerée à soupe de miel liquide

1 cuillerée à café de jus de citron

*Pour être totalement authentique, ce plat se prépare avec un vin de dessert grec,
le Mavrodaphne, mais on le trouve difficilement en dehors de Grèce. Utilisez un cabernet-
sauvignon corsé à la place.*

1 Pelez les coings, coupez-les en deux et disposez-les, côté coupé dessus, en une seule
couche, dans un plat à gratin.

2 Mélangez le miel et le vin et arrosez les coings de ce jus, puis ajoutez la gousse
de vanille, les clous de girofle et l'anis étoilé. Couvrez de papier d'aluminium et faites
cuire les fruits pendant 30 minutes au four préchauffé à 190 °C/th. 5.

3 Retirez le papier d'aluminium, arrosez les coings de jus et poursuivez la cuisson
45-50 minutes, en les nappant de jus de temps en temps, jusqu'à ce qu'ils soient bien
cuits ; le jus doit devenir sirupeux.

4 Pour préparer le yaourt au citron, mélangez tous les ingrédients. Servez les coings
chauds avec le yaourt et le jus de cuisson.

Pour 4 personnes

pain doré au miel
et au citron

espagne

30 cl de lait

50 g de miel liquide

2 lanières de zeste de citron

une pincée de cannelle en poudre

8 belles tranches de pain rassis
d'un jour, sans les croûtes

2 œufs

huile végétale, pour la cuisson

Pour servir :

crème sure

miel liquide

quartiers de citron

*Une version un peu différente de notre pain perdu. Les Espagnols servent le pain doré
au petit déjeuner. Pour ma part, je préfère le savourer en dessert.*

1 Chauffez le lait, le miel, le zeste de citron et la cannelle dans une casserole jusqu'au
seuil de l'ébullition. Retirez du feu et laissez refroidir 20 minutes.

2 Coupez les tranches de pain en deux dans la diagonale pour obtenir des triangles
et trempez chacun des morceaux dans le lait aromatisé. Transférez-les sur une grille
posée sur un plateau et laissez-les égoutter pendant 2 heures.

3 Battez les œufs et chauffez un peu d'huile dans une poêle. Trempez les triangles
de pain dans les œufs battus et faites-les dorer à la poêle 1-2 minutes de chaque côté.
Servez-les nappés de miel et arrosés de jus de citron, accompagnés de crème sure.

Pour 4 personnes

les incontournables

Ce sont souvent les plats simples du quotidien qui forgent la tradition culinaire d'un pays, comme le pesto (voir page 138), cette délicieuse sauce au basilic qui évoque instantanément la cuisine italienne. À force de les cuisiner, on les prépare de mémoire, sans même suivre de recette. Ce chapitre propose un assortiment de sauces, de bouillons et de pâtes qui entrent dans la composition de certains mets présentés dans ce livre.

aïoli ou mayonnaise à l'ail

2-8 gousses d'ail (selon votre goût personnel)

½ cuillerée à café de sel de mer

2 jaunes d'œufs

1 cuillerée à soupe de jus de citron

1 cuillerée à café de moutarde de Dijon

30 cl d'huile d'olive vierge extra française (voir page 8)

1-2 cuillerées à café d'eau bouillante (facultatif)

Les ingrédients servant à émulsionner les jaunes d'œufs, l'huile, l'ail et le sel varient d'un pays à l'autre ; en Grèce et au Portugal, on ajoute de la purée de pommes de terre ou même de la chapelure. La recette proposée ici permet de préparer une bonne sauce à l'ail qui servira à agrémenter bon nombre de plats.

1 Mettez les gousses d'ail et le sel dans un mortier et écrasez-les au pilon. Transférez ce mélange dans un robot ménager, ajoutez les jaunes d'œufs, le jus de citron et la moutarde puis mixez jusqu'à obtention d'une pommade de couleur pâle.

2 En maintenant le robot en marche, ajoutez l'huile en un filet continu jusqu'à ce que la sauce soit émulsionnée, épaisse et brillante. Il sera peut-être nécessaire de la fluidifier en ajoutant une ou deux cuillerées à café d'eau bouillante. Couvrez de film étirable.

3 Utilisez l'aïoli comme une sauce pour tremper les légumes crus à l'apéritif, pour accompagner les coquillages grillés ou pour garnir un sandwich. L'aïoli se conserve au réfrigérateur pendant 5 jours maximum.

Pour 30 cl environ

sauce romesco
espagne

1 petit piment ancho

1 grosse gousse d'ail écrasée

une bonne pincée de piment séché en paillettes

40 g de noisettes grillées

25 g d'amandes mondées grillées

1 grosse tomate pelée, épépinée et hachée

1 cuillerée à soupe de persil haché

1 cuillerée à soupe de vinaigre de vin

10 cl d'huile d'olive vierge extra

sel et poivre

La sauce romesco classique se prépare avec un piment espagnol séché, le nyora, introuvable en dehors d'Espagne. Remplacez-le par un piment séché mexicain, l'ancho, qui se vend dans les épiceries spécialisées.

1 Faites tremper le piment ancho 30 minutes dans l'eau chaude. Égouttez-le, essuyez-le puis hachez-le grossièrement. Transférez-le dans un robot ménager et mixez-le avec l'ail, les paillettes de piment, les noisettes, la tomate et le persil jusqu'à obtention d'une pommade.

2 Incorporez le vinaigre et suffisamment d'huile pour obtenir une sauce onctueuse rappelant le pesto. Salez et poivrez à volonté. Transférez dans un bol et couvrez de film étirable.

3 Servez avec des fruits de mer grillés, en particulier des crevettes et des calmars. Cette sauce se conserve au réfrigérateur pendant 4 jours au plus

Pour 30 cl environ

anchoïade

france

Une sauce provençale classique qui se tartine sur des toasts ou des crackers. Vous n'êtes pas obligé d'utiliser des anchois au sel, mais leur goût est nettement supérieur à celui des anchois à l'huile.

1 Hachez grossièrement les anchois, ajoutez le reste des ingrédients et écrasez le tout au pilon dans un mortier jusqu'à obtention d'une purée assez onctueuse. Transférez dans un bol et couvrez de film étirable.

2 Servez cette purée sur des toasts à l'apéritif, ou mélangez-la à un bouillon de volaille ou de viande pour préparer la sauce d'un rôti. L'anchoïade se conserve au réfrigérateur pendant plusieurs jours.

Pour 10 cl

25 g d'anchois au sel, rincés et séchés

1 gousse d'ail écrasée

2 cuillerées à soupe d'huile d'olive

2 cuillerées à soupe de jus de citron

une bonne pincée d'herbes de Provence

une pincée de piment de Cayenne

poivre

tapenade

france

Une autre sauce provençale classique au goût ardent dont les olives constituent le principal ingrédient.

1 Dans un mortier ou un robot ménager, écrasez ou mixez ensemble les olives, les anchois, l'ail, les câpres et la moutarde jusqu'à obtention d'une pommade onctueuse. Ajoutez progressivement l'huile pour fluidifier légèrement la sauce, puis le jus de citron et le poivre. Transférez dans un bol et couvrez de film étirable.

2 Servez cette préparation sur du pain grillé ou dans des soupes de légumes. La tapenade se conserve au réfrigérateur pendant 5 jours au maximum.

Pour 10 cl

125 g d'olives niçoises dénoyautées

2 anchois au sel, rincés et séchés

1 gousse d'ail écrasée

2 cuillerées à soupe de câpres au sel, rincées et séchées

1 cuillerée à café de moutarde de Dijon

4 cuillerées à soupe d'huile d'olive vierge extra

un peu de jus de citron

poivre

salsa rossa

italie

1 gros poivron rouge

1 cuillerée à soupe d'huile d'olive

1 gousse d'ail écrasée

2 tomates mûres, pelées
et grossièrement hachées

une pincée de paillettes de piment
séché

1 cuillerée à café d'origan séché

sel et poivre

La salsa rossa est une sauce au poivron rouge rehaussée d'une pointe de piment italien.

1 Faites griller le poivron jusqu'à ce qu'il soit noirci puis laissez-le refroidir dans un sachet
en plastique. Retirez la peau et jetez les graines en réservant le jus. Hachez la chair.

2 Chauffez l'huile dans une sauteuse et faites revenir l'ail pendant 3 minutes. Ajoutez
tomates, paillettes de piment et origan puis laissez mijoter pendant 15 minutes. Incorporez
le poivron haché et faites revenir le tout 5 minutes pour éliminer l'excédent de jus.

3 Transférez dans un robot ménager et mixez jusqu'à obtention d'une sauce onctueuse.
Salez et poivrez et laissez refroidir. La salsa rossa se conserve au réfrigérateur,
dans un pot à couvercle vissant, pendant 5 jours au maximum.

Pour 15 cl environ

salsa verde

italie

25 g de feuilles de persil

15 g d'herbes mélangées (basilic,
ciboulette et menthe, par exemple)

1 gousse d'ail hachée

15 g d'olives vertes dénoyautées

1 cuillerée à soupe de câpres
au sel, rincées et égouttées

2 filets d'anchois séchés, lavés
et hachés

1 cuillerée à café de moutarde
de Dijon

2 cuillerées à café de vinaigre blanc

15 cl d'huile d'olive vierge extra

sel et poivre

*Une autre spécialité italienne. Cette fois, il s'agit d'une sauce verte à base d'herbes,
subtilement rehaussée des saveurs piquantes des câpres et des olives vertes. La salsa rossa
et la salsa verde agrémentent les plats de pâtes ou les légumes crus servis à l'apéritif.
Elles sont également excellentes avec la viande et le poisson grillés.*

1 Mettez tous les ingrédients dans un robot ménager, excepté l'huile, et mixez jusqu'à
obtention d'une pommade lisse. Incorporez progressivement l'huile pour obtenir
une sauce. Goûtez et modifiez l'assaisonnement si nécessaire. La salsa verde se
conserve au réfrigérateur, dans un pot à couvercle vissant, pendant 5 jours au plus.

Pour 20 cl environ

pesto

italie

50 g de feuilles de basilic

1 gousse d'ail écrasée

2 cuillerées à soupe de pignons
de pin

½ cuillerée à café de sel de mer

6-8 cuillerées à café d'huile d'olive
vierge extra

2 cuillerées à soupe de parmesan
fraîchement râpé

poivre

*Bien entendu, nous savons tous préparer cette délicieuse sauce italienne au basilic et à l'ail,
mais je pense qu'un livre de cuisine méditerranéenne n'est pas complet sans une recette
de pesto.*

1 Écrasez le basilic, l'ail, les pignons et le sel marin dans un mortier ou un robot
ménager jusqu'à obtention d'une purée lisse. Ajoutez progressivement l'huile jusqu'à
obtention de la consistance requise, onctueuse et non fluide, puis ajoutez le fromage
et le poivre à votre convenance. Transférez dans un bol et couvrez de film étirable.

2 Servez le pesto mélangé à des pâtes chaudes, en garniture de soupes ou bien avec
du poisson ou du poulet grillé. Le pesto se conserve au réfrigérateur pendant 3 jours
au maximum.

Pour 15 cl environ

Variante : Pesto rouge. Ajoutez 20 g de tomates séchées à l'huile au basilic et procédez
comme indiqué ci-dessus, en omettant le parmesan.

vinaigrette

france

2 cuillerées à soupe de vinaigre
de vin

2 cuillerées à café de moutarde
de Dijon

1 cuillerée à café de sucre semoule

15 cl d'huile d'olive vierge extra

sel et poivre

*La vinaigrette qui sert à aromatiser toutes les salades en France
(et également dans le monde entier) est une sauce classique. Vous pouvez utiliser
du vinaigre blanc si vous préférez, du vinaigre balsamique pour une saveur plus italienne
ou du vinaigre de xérès pour une saveur espagnole.*

1 Mettez tous les ingrédients dans un pot à couvercle vissant et agitez. Goûtez
et modifiez l'assaisonnement si nécessaire. Cette vinaigrette se conserve
au réfrigérateur pendant 1 semaine au maximum.

Pour 20 cl environ

fumet de poisson

Demandez à votre poissonnier de vous mettre de côté des parures de poisson ; elles sont souvent gratuites ou alors très bon marché. Lorsque vous préparez du fumet de poisson, il est important de ne pas faire cuire les parures plus de 30 minutes, car les têtes risquent de donner une certaine amertume.

1 Mettez tous les ingrédients dans un grand faitout, portez à ébullition, couvrez et laissez frémir pendant 30 minutes. Passez ce mélange dans un autre faitout et faites bouillir le fumet obtenu à feu vif jusqu'à ce qu'il réduise de moitié environ. Laissez refroidir et réfrigérez jusqu'au moment voulu.

2 Ce fumet se conserve jusqu'à 3 mois au freezer.

Pour 1 l environ

1 kg de têtes et de parures de poisson

1 l de vin blanc sec

1 l d'eau

2 carottes émincées

1 oignon haché

1 poireau émincé

2 branches de céleri émincées

1 gousse d'ail pelée

2 feuilles de laurier

2 brins de persil

2 brins de thym

6 grains de poivre blanc

1 cuillerée à café de sel

bouillon de volaille

1 Mettez tous les ingrédients dans un grand faitout et ajoutez suffisamment d'eau pour couvrir (environ 2,5 l). Portez à ébullition en écumant si nécessaire puis laissez frémir pendant 1 heure. Retirez le poulet et passez le bouillon dans un saladier. Laissez refroidir et réfrigérez jusqu'au moment voulu.

Pour 1,5 l environ

un poulet fermier de 1 kg

2 carottes grossièrement hachées

3 branches de céleri grossièrement hachées

1 oignon haché

1 poireau haché

6 gousses d'ail

2 tomates grossièrement hachées

2 feuilles de laurier

2 brins de thym

6 grains de poivre blanc

1 cuillerée à café de sel de mer

citrons confits

maroc

4 citrons non paraffinés

50 g de sel

1 cuillerée à café de graines
de coriandre

1 petit bâtonnet de cannelle écrasé

2 feuilles de laurier

jus d'un citron

*Le citron confit est l'un des ingrédients de base des tajines marocains, en particulier le tajine
au poulet, au citron et aux olives. Tout simplement irremplaçable, il donne aux mets
qu'il agrémente une saveur et une texture incomparables. Préparez vous-même vos citrons
confits ou achetez-les dans une épicerie marocaine.*

1 Stérilisez un grand bocal à l'eau bouillante puis essuyez-le. Coupez chaque citron
en six quartiers que vous laissez attachés à une extrémité et parsemez de sel
les incisions.

2 Parsemez de sel le fond du bocal et ajoutez les citrons, les épices, les feuilles
de laurier et le sel.

3 Ajoutez le reste du sel, le jus de citron et suffisamment d'eau pour couvrir les citrons.
Laissez reposer dans un endroit chaud pendant au moins 2 semaines afin que les fruits
se ramollissent. Après ouverture, conservez le bocal au réfrigérateur.

Pour 4 citrons

pâte brisée

200 g de farine, tamisée

½ cuillerée à café de sel

125 g de beurre froid, coupé en dés

3-4 cuillerées à soupe d'eau froide

1 Mettez la farine et le sel dans un saladier et incorporez le beurre en malaxant jusqu'à obtention de grosses miettes. Ajoutez l'eau petit à petit et mélangez pour obtenir une pâte souple.

2 Pétrissez légèrement la pâte sur un plan de travail fariné et façonnez une boule. Enveloppez-la dans du film étirable et réfrigérez 30 minutes.

Pour un fond de tarte de 25 cm de diamètre

pâte brisée sucrée

200 g de farine

½ cuillerée à café de sel

100 g de beurre froid coupé en dés

2 cuillerées à soupe de sucre glace

2 jaunes d'œuf

1-2 cuillerées à soupe d'eau froide (facultatif)

1 Tamisez la farine dans un saladier, ajoutez le sel et incorporez le beurre en le malaxant jusqu'à obtention de grosses miettes.

2 Incorporez le sucre puis ajoutez les jaunes d'œuf ; travaillez la pâte afin de la rendre souple et ajoutez un peu d'eau si besoin. Pétrissez la pâte sur un plan de travail légèrement fariné, enveloppez-la de film étirable et réfrigérez-la pendant 30 minutes.

Pour un fond de tarte de 25 cm de diamètre

pâte pour pâtes fraîches

250 g de farine de blé dur

3 cuillerées à café de sel

2 œufs entiers plus un jaune

1 cuillerée à soupe d'huile d'olive vierge extra

1-2 cuillerées à soupe d'eau froide

1 Tamisez la farine et une cuillerée à café de sel dans une jatte, faites un puits au centre et incorporez petit à petit les œufs, le jaune, l'huile et suffisamment d'eau pour obtenir une pâte moelleuse.

2 Transférez la pâte sur un plan de travail légèrement fariné et pétrissez-la doucement jusqu'à ce qu'elle soit souple et lisse. Badigeonnez d'huile, couvrez et laissez reposer une trentaine de minutes.

Pour 4 portions

pâte à pizza

italie

Si vous confectionnez vous-même vos pizzas, n'oubliez pas certains détails d'importance. Tout d'abord, préchauffez la plaque de four avant de poser la pâte dessus pour que le dessous de la pizza devienne croustillant en cuisant. Ensuite, préparez une abaisse vraiment fine avant de la garnir. Et pour finir, une pizza se mange très chaude, au sortir du four. Si vous en avez plusieurs, faites-les cuire une par une, ainsi vous les dégusterez toujours à bonne température.

1 Incorporez la levure de boulanger à l'eau chaude, remuez jusqu'à ce qu'elle soit dissoute. Ajoutez 4 cuillerées à soupe de farine et de sucre et laissez reposer dans un endroit chaud pendant 10 minutes, jusqu'à formation d'une écume.

2 Mettez le reste de farine dans une jatte, ajoutez le sel et faites un puits au centre. Petit à petit, incorporez la levure délayée et l'huile ; remuez jusqu'à formation d'une pâte molle, puis pétrissez pendant 8-10 minutes sur un plan de travail légèrement fariné.

3 Façonnez la pâte en boule et transférez-la dans un saladier huilé. Couvrez de film plastique et laissez lever la pâte dans un endroit chaud pendant 1 heure, jusqu'à ce qu'elle ait doublé de volume. Abaissez-la au moment où vous en avez besoin.

Pour 2 pizzas de 35 cm de diamètre ou quatre de 23 cm

1 cuillerée à café de levure de boulanger

15 cl d'eau chaude

250 g de farine

une pincée de sucre semoule

1 cuillerée à café de sel de mer

1 cuillerée à soupe d'huile d'olive vierge extra